TEMPO DE VÉSPERAS

Adriano Moreira

TEMPO
DE VÉSPERAS

Tempo de Vésperas

© Adriano Moreira
EDIÇÃO: Almedina
REVISÃO: Maria Madalena Requixa
DESIGN: FBA.
FOTO DA CONTRACAPA GENTILMENTE CEDIDA POR ALFREDO CUNHA
IMPRESSÃO E ACABAMENTO: Gráfica de Coimbra
DEPÓSITO LEGAL: 302357/09
ISBN: 978-972-40-4056-1
DATA: Novembro de 2009

BIBLIOTECA NACIONAL DE PORTUGAL
CATALOGAÇÃO NA PUBLICAÇÃO

MOREIRA, Adriano, 1922-
Tempo de Vésperas
ISBN: 978-972-40-4056-1
CDU 32
    316
    821.134.3-94"19"

*À memória de D. Sebastião de Resende, Bispo da Beira,
missionário, pastor, irmão de todos os seres vivos, é dedicado
este livro de crónicas, escritas para o jornal que fundou,
e que também morreu.*

~ PREFÁCIO

Este "Tempo de Vésperas" reúne um conjunto de textos para o jornal *Diário de Moçambique*, que D. Sebastião de Resende, Bispo da Beira (Moçambique) desde a nomeação no dia 21 de Abril de 1943, fundou e orientou até à sua morte em 25 de Janeiro de 1967. O projecto destinado a assegurar a continuidade do Diário incluiu um convite no sentido de ajudar a assegurar a identidade do jornal com crónicas periódicas.

D. Sebastião foi um Bispo do qual se pode dizer que – *Cristo passou por aqui*, deixando uma profunda marca no exercício da *santidade* a favor dos povos das colónias, orientado por este conceito: "a santidade moral é a caridade"; e acrescentou que o missionário "há-de trabalhar, sobretudo e em primeiro lugar, a alma dos indígenas, comunicando-lhes a instrução e ministrando-lhe a Fé. Há-de formar também o seu coração a fim de os preparar a amar a verdade em Deus que os criou e os reuniu; a amar a verdade na família bem constituída; a amar a verdade no seu semelhante, irmão de raça e do solo; a amar a verdade dos portugueses que os descobriram e civilizaram".

Foi a crítica aos desvios da *verdade dos portugueses* que o fez levantar a voz em favor da autenticidade, e a frequentes conflitos com o poder instituído. Foi para mim um inspirador, organizei um livro onde ficaram reunidas as suas mensagens mais significativas, com o título – *Sebastião Soares de Resende – Profeta em Moçambique* (Difel, 1994), de que entreguei pessoalmente um exemplar a João Paulo II em Roma.

As crónicas lidaram com temas da distância entre o discurso legal e a realidade do povo de Deus que inquietava o Bispo, que morreu em sofrimento e resignação, com todas as confissões religiosas devotadamente representadas nas cerimónias fúnebres.

A continuação delas seria proibida quando a intitulada – Os Gatos, foi reproduzida pelo *Diário de Notícias* de Lisboa, então responsabilidade da querida poetisa Natércia Freire, chamando a atenção para o exercício de estilo, tudo porque o governo das vésperas da Revolução de 74 entendeu que se tratava de mais do que estilo: por uma vez julgo que fez uma avaliação exacta.

Foi Domingos Monteiro, o contista admirável, que, tendo pessoalmente reunido as crónicas, entendeu publicá-las na sua pequena editora, dando-lhe eu o título de *Tempo de Vésperas*, as vésperas do desastre do conceito estratégico nacional consumado em 1974, em parte porque a *verdade dos portugueses*, a que se referiam as Cartas Pastorais de D. Sebastião, demorou em reconhecer os desvios da autenticidade, que procurei corrigir, com intervenção tardia, nos diplomas legais que subscrevi, designadamente a extinção do Regime do Indigenato, na linha do pensamento que D. Sebastião serviu com amor e caridade.

Hoje, lembrando esses tempos difíceis e de sinais mal interpretados, medito sobretudo no tempo perdido, e repito palavras minhas recentes sobre o tema, tendo na memória os desaparecidos.

A ideia de que o tempo se conta em unidades de vida aconselha a admitir que a única coisa que se pode fazer com o tempo é não o perder, e que o tempo por sua vez faz implacavelmente a sua obra de esgotar as nossas unidades de vida: de vida feliz, de vida inquieta, de vida sofrida, de vida suspensa, de vida perdida. Em todo o caso com o amparo de que não envelhece quem envelhece ao nosso lado, os amigos, os filhos, a mulher amada: passa o tempo consumindo as nossas unidades de vida, vincaram-se as rugas, amortece a luz do olhar, ficam lentos os passos, mas nunca se extingue um sorriso que regressa, um gesto que se reencontra, uma mão que subitamente aperta a nossa com firmeza, cúmplice, calorosa, companheira, jovem.

O purgatório não é pois, e verdadeiramente, o acumular dos anos, o purgatório é *a solidão da sobrevivência*: sobreviver a todos os que não envelhecem quando envelhecem ao nosso lado, aos que andaram de companhia na infância distante, aos vizinhos da aldeia pequena e da cidade grande, aos parceiros de projectos, de vitórias e derrotas, aos mestres de exemplos e até de esquecimentos, às vozes encantatórias dos que pregaram as utopias, às mãos inspiradas que multiplicaram a beleza, num tempo em que pais e avós já são apenas pó da terra a que regressaremos, para finalmente nos misturarmos no mistério do princípio e do fim.

A solidão da sobrevivência é um tempo para meditar sobre o amparo da intemporalidade da geração a que cada um pertence. Cada um do tempo em que viveram os que semearam valores, esperanças de futuro, obras que perduraram e em cuja fileira nos inscrevemos. Pelas andanças do mundo, que foi o do meu tempo, encontrei, em comunidades humildes da diáspora portuguesa, as imagens de heróis das descobertas, o Infante D. Henrique, Vasco da Gama, o Infante Santo, ou Santo António e S. Francisco Xavier: são os de uma mesma geração sobrevivente. Neles está D. Sebastião de Resende.

A solidão da sobrevivência, o mais desafiante e doloroso dos tempos, tem amparo nessa realidade da geração intemporal em que nos integramos, no balanço final da vida, solidários para a salvação. Com a prece de que a degradação do corpo não consiga impor a dependência total, a luta inglória por uma sobrevivência sem préstimo. Que, ao contrário do que vaticina o poeta quando afirma – "*A idade nunca vem só / vem com suspiros e lamentações*", chegue "*com um imenso e profundo sono*". O que os crentes pedem à Senhora da Boa Morte.

Adriano Moreira

~ AUTENTICIDADE

JÁ NÃO HÁ DICIONÁRIO que valha para acudir à perplexidade a que o mundo foi conduzido pelo abuso das palavras. É certamente um dos factos mais salientes em que os jovens se baseiam para acusar as gerações mais velhas de falta de autenticidade. A realidade foi muitas vezes descrita com palavras de sentido equívoco ou grandemente distorcido. Chamou-se aos factos aquilo que não eram, sem reparar que de tal modo se reconhecia imediatamente que as circunstâncias não eram o que deviam ser. Os poetas tiveram mais do que nunca razão para ensinar que por dentro das coisas é que as coisas são. Não é aceitável chamar prudência à incapacidade de correr riscos, ou chamar ponderação à falta de capacidade para tomar decisões, ou chamar paciência à falta de sentido para agir a tempo. E assim por diante a misturar o sim e o não da vida, a inverter os sinais, a deturpar as palavras, a recusar as opções, como se a natureza das coisas pudesse ser iludida.

A recusar aos próprios mortos um epitáfio decente, porque acaba por não se encontrar palavra que não precise de intérprete. Ficam as virtudes na dependência de uma semântica de conveniências e de oportunidades. A tristeza do oportunismo responsável pela ânsia amarga de autenticidade que inspira grande parte da inquietação da juventude. Justificadamente inquieta porque a distância entre o mundo real e o mundo apregoado parece um abismo. O abismo que separa a paz apregoada da paz real, a justiça proclamada da justiça efectiva, a vida prometida da vida sofrida. Mas as palavras lá estão, em todas as bocas: direitos do homem, justiça social, democracia, vontade nacional. As mesmas palavras, e todavia cada vez maior distância entre o real e o apregoado. Menos paz no mundo, menos justiça, menos ética. E cada vez maior a necessidade de ouvir os poetas e de saber que por dentro das coisas é que as coisas são.

~ O ESPELHISMO

ENTRE AS MUITAS histórias que se contavam às crianças, antes de terem sido inventados os quadradinhos, havia uma que dizia respeito a certa rainha velha e feia que não podia concordar com a opinião dos espelhos. É uma história antiquíssima, visto que ainda se refere ao tempo em que as mulheres podiam ser feias e velhas, coisa felizmente desaparecida. Mas essa pobre rainha, que não pôde beneficiar do nosso progresso, sofria o insulto de o espelho lhe devolver uma imagem com que não podia reconciliar-se. Como não podia modificar a sua triste face, ocorreu-lhe destruir os espelhos. E assim terminou também, ao menos, com a sua feia imagem. Esta solução generalizou-se através dos tempos e deu origem a uma espécie de espelhismo, satisfeito com a destruição das imagens e por isso despreocupado de melhorar a face. Andam por esse mundo os exemplos da aplicação do método, nas coisas pequenas e nas coisas grandes. Na vida privada e na vida pública. Na vida interna e na vida internacional. Há quem cuide que o que não se deixa dizer não existe. E também quem suponha que a maneira de dizer altera os factos.

Trata-se então de modificar o espelho. Ou de ralhar com o espelho.

É, só a servir de exemplo, o que se passa com o ONU. Anda tão mal no campo da política que a muitos não sobra tempo para ver os domínios onde a sua acção é meritória: na ciência, na educação, na alimentação, na saúde, na ajuda técnica e financeira. Mas na política, um desastre. Só que o desastre é apenas a imagem do que vai pelo mundo e não chega, para melhorar o mundo, virar as costas ao espelho. O mundo continua onde estava, implacavelmente oferecendo a imagem do desastre. Mesmo sem espelho onde isso se veja, para o que de facto basta virar as costas, ou simplesmente fechar os olhos.

~ O EIXO DA RODA

É INTERMINÁVEL e surpreendente a lista das coisas que, em cada dia, nos anunciam que morreram definitivamente. Risca-se o nome, para esquecer. Não há também manhã que alguém não escolha para o começo de uma qualquer nova era. Na moda, na comida, nos espectáculos, e em coisas de importância mais discutida como a política, são obrigatórios o ponto final e a nova linha. Nas instituições parece secundário o problema das raízes. Mesmo na vida privada, a plenitude já não está no filho, no livro e na árvore, tanto quanto se pode deduzir. O que se usa é o responso e o anúncio, com muito mais espaço para o anúncio do que para o responso. Anunciam-se novos factos, novos processos, novos valores. Correspondentemente, enterram-se, com ou sem responso, outros factos, outros processos, outros valores. Ou frustram-se, que é talvez o mais exacto, sem distinguir entre problemas velhos e problemas novos. E tudo isto com uma corajosa falta de humildade que enternece. É ver o que se passa com o Vietname: a vitória, a paz, a internacionalização, a retirada, a vietnamização, são outras tantas novas linhas depois de outros tantos pontos finais. A única coisa que permaneceu foi o conflito, indiferente aos pontos finais e à nova linha das conveniências ocasionais. É ver o que se passou com o Biafra: adjectivado de conflito interno, guerra civil, secessão, intervenção, aquilo que permaneceu foi o genocídio sistemático para além de tantas novidades. Podem procurar-se outros exemplos, fáceis de encontrar. Todos apenas provam que nem tudo morre, ainda que enterrado. Acontece que a terra não é sempre sepultura, também é berço. Há valores, ideias, concepções que florescem mais fortes depois da provação. Mesmo que seja a provação do deserto. A Família, a Pátria são apenas exemplos. Nunca morrem. Como que ficam fora do tempo, à espera do seu tempo. Um dia reencontram-se com um homem, um grupo, um povo, e reentram na acção e na história visíveis. Daqui a necessidade do diálogo de cada homem com a sua circunstância, para distinguir o acidental do perene. Procurar a graça de entender quais são os valores permanentes que é chamado a servir e que são o eixo, na família, na amizade, na profissão, na cidadania. Encontrar esse eixo e identificar-se com ele. Saber que este nascer quotidiano de novas eras verbais é como a paisagem variável que uma roda em movimento vai atravessando. É bom olhar com interesse para a paisagem. Mas fazendo como o eixo da roda, que acompanha a roda mas não anda.

~ UMA GERAÇÃO

Tornou-se quase moda falar no conflito das gerações. O perigo é que a moda tira importância às coisas, porque o hábito é inimigo da atenção. E, todavia, o problema existe e necessita ser meditado. Mas cada vez se torna mais evidente que tem de ser meditado para além dos hábitos, quebrando a rotina. Isto não quer dizer que a rotina não esteja assente em factos bem estabelecidos e averiguados. Mas talvez não tenha em conta os factos todos, talvez tenha esquecido alguns. A rotina, muitas vezes com pretensões científicas, fala das gerações por classes de idade. Para fins práticos pode utilizar as incorporações militares. Os rapazes do tempo de cada um, nos comentários correntes, são os que estiveram com ele na tropa, ou na escola, ou na universidade.

Aconteceram-lhe a todos, nas mesmas datas, os desafios sociais que é costume. Os cabelos brancos apareceram na mesma altura. São da mesma geração, segundo pensam, e todavia desconheceram-se talvez completamente, foram porventura adversários, algumas vezes cruzaram-se apenas por serem inimigos íntimos. Estas possibilidades frequentes mostram-nos que não se é da mesma geração por ter chegado a este mundo pela mesma data. Há muitos que são do mesmo signo, com dia, e hora, e ano coincidentes, e que não podemos reconhecer como do nosso tempo. Definitivamente atrasados ou ultrapassados. Em contrapartida, quantas vezes, no silêncio em que é conveniente conversar com os mortos, encontramos que são da nossa geração homens que desapareceram há séculos? Afincadamente envolvidos na mesma luta, servindo os mesmos valores, sofrendo as mesmas dores. Deixando num livro, num poema, num exemplo, num traço, numa sombra, um elo perpétuo para todos os homens que serão sempre dessa geração, a geração de Platão, ou de São Francisco, ou do Infante D. Henrique. Continuadores, conviventes, sempre vivos, todos sempre presentes. Nas barricadas de todos os tempos estão homens de todos os séculos: eles são a geração que ali se bate. Dos contemporâneos quase sempre poucos pertencem à barricada em que se luta. A geração dos assistentes é sempre mais numerosa, mais extensa. Mas não é mais antiga.

~ A UNDÉCIMA HORA

DE QUANDO EM QUANDO escuta-se o lamento de algum incontido lutador que se dá ao trabalho de comparar os tempos. É um dos costumados acordes do pessimismo histórico. A observação parece mostrar que em regra se trata de um minuto amargo de lazer aproveitado, com infelicidade, para ter memória das coisas que devem ser esquecidas. Porque o lazer é doença para os homens de acção. Velhos lutadores olham à sua roda e não se acomodam com o facto de verificarem que nos comandos se encontram quase apenas os que não tinham estado nas trincheiras. Não se sentem sempre velhos. Mas têm de qualquer modo uma experiência antiga. Lembram-se de debates onde a esses não lhes escutaram palavra; recordam-se de combates onde eles não correram para alinhar à chamada; falam de tempos magros em que não os viram participar das carências; apontam riscos passados onde os mesmos sempre chegaram a tempo a lugares seguros. Parecem-lhes homens com um grande sentido das reservas e que cedo optaram por essa vocação. Os velhos lutadores olham, reparam, e não gostam. Resmungam. Lamentam. Dificilmente se conformam. Não há pregador que lhes faça estender a justiça reservada para os trabalhadores da undécima hora. E, é pena que na vida de um velho lutador haja por vezes desses minutos amargos de abandono. De abandono amargo e de humildade excessiva. Ou de ignorância da condição humana. Porque os trabalhadores da undécima hora só prosperam quando as batalhas forem ganhas, os tempos cumpridos, os sonhos realizados. Não são os que ficaram silenciosos, os que não participaram na acção, que fizeram o mundo em que vivemos. Acontece que estão lá na época da colheita. Os que fazem o mundo são outros, são os que transformam as ideias em palavras e as palavras em acção. Uma máxima antiga que é bom lembrar de tempos a tempos. É porque os velhos lutadores estiveram nos debates, responderam à chamada para o combate, participaram das carências, correram todos os riscos, que chega algum dia em que batem as pancadas da undécima hora. Os construtores do mundo, de uso não têm mais do que dez horas para viver.

A colheita em regra não lhes pertence. Na festa já lá não estão ou não foram convidados. Ou simplesmente não vão. O grande destino que lhes coube e cumpriram foi preparar a vinda da undécima hora.

~ COMUNIDADE

NOS ANOS QUE DECORRERAM desde o fim da última guerra, a lei da complexidade crescente da vida internacional teve, em relação aos interesses portugueses, uma aplicação extensa. Então, no fim da guerra, tínhamos fronteiras físicas apenas com meia dúzia de soberanias. Destas, só a China não pertencia à mesma área cultural. As outras eram europeias, representavam interesses europeus, cooperavam num governo do mundo que, pela sede e pela forma, era exclusivamente ocidental: Espanha, Inglaterra, Bélgica, França, Holanda e China eram os nossos vizinhos. Dos grandes espaços formais e informais a que pertencíamos, só tinham importância real a aliança com a Inglaterra, o pacto com a Espanha e o tratado com o Brasil. Hoje, segundo um critério inseguro de contagem, temos fronteiras com 16 soberanias. Ocidental, no sentido de antes do fim da guerra, só a Espanha pode ser qualificada. Todas as outras pertencem a áreas culturais diferenciadas. Fomos e somos assim vizinhos de todas as mudanças e ficámos fronteiros de todos os sistemas. Dos grandes espaços formais e informais a que pertencemos, desaparecida a validade da aliança com a Inglaterra, ficam desse passado rapidamente extinto, num panorama em mudança constante, e nos seus planos diferentes, a Espanha e o Brasil. Dois elementos fundamentais e permanentes, não importa o procedimento que se adopte para enfrentar o problema de ser vizinho de todas as mudanças e de todos os sistemas, para enfrentar o problema de ser um país que não está em nenhum continente, porque está no mundo. Acontece que, em tal mundo, a mesma concepção de vida lusíada é património de duas soberanias: Portugal e Brasil. Como sempre que há um interesse comum, a sabedoria antiga aconselha a solidariedade. Esta sabedoria não é necessariamente um exclusivo dos governos, e neste caso particular bem se tem demonstrado que ela foi, antes de mais, uma reivindicação das correntes sem compromisso político. O que evidencia que se trata de valores perenes para cuja preservação todos temos o direito de contribuir.

~ A MURALHA

FUGIR DOS PROBLEMAS dos outros foi um preceito legado pelos fundadores da República americana aos seus sucessores. Pois eles aí estão, envolvidos nos problemas de todo o mundo, com passagem pela Europa que tinham repudiado. A Muralha da China tinha sido uma advertência do mesmo estilo, como que escrita em caracteres locais, mas com o mesmo significado. O mundo passou por cima da muralha, e eles aí estão, em resposta, envolvidos nos problemas de todos os continentes, com passagem pela África. Caíram as muralhas de todos os estilos e não podem ser reedificadas. Alguns que, não há muitos anos, tinham marchado com a soberania inteira para as regiões tropicais, retiraram a bandeira e os tambores, mas voltaram aos mesmos lugares com o dinheiro, com a máquina, e também com o livro. Pode dizer-se que voltaram com inquietações iguais e objectivos sem mudança, embora compondo a face, mudando os trajes, redefinindo o cerimonial, e com outro esquema de poderes. Os continentes já não são refúgio para ninguém. Velhas opções, que faziam parte da temática tradicional dos Estados, perderam o sentido e a vigência. Os problemas dos outros mostram uma tendência desagradável para se transformarem em problemas nossos. Os nossos problemas perdem a intimidade. Há sempre um olho atento, que é alheio. Raras vezes amigo. Mas sempre reivindicativo. Recitando, em plano internacional, com tradução simultânea, a fábula do velho, da criança e do burro. A interpenetração dos interesses foi mais veloz do que a marcha da interpenetração das culturas e das etnias. Há mundo, não há refúgios. Já não há que escolher entre estar na Europa ou estar em África. Entre estar no Pacífico ou estar no Atlântico. Estar no mundo é a condição de todos os povos. Especialmente dos precursores. Muito particularmente é a vocação e a necessidade de um povo espalhado por todas as latitudes, vizinho de todos os interesses, fronteiro de todas as mudanças. Responsável, de resto, pelo desencadear do processo planetário. Nada há que liberte de uma só interdependência. Mesmo os povos que não partiram nunca ao encontro do mundo, viram o mundo vir ao seu encontro. Não há renúncias possíveis. Acabaram os esplêndidos isolamentos. E as vocações regionalistas. E as comodidades neutrais. Já não existe a possibilidade da retirada dos problemas mundiais pelo abater de bandeiras. Pode modificar-se a maneira de participar na trama mundial dos problemas. Pode acontecer que a mudança seja um resultado da opção ou da necessidade. Mas a participação é obrigatória. A presença em todo o mundo é irrenunciável. Os vencedores e os vencidos estão condenados à interdependência. Amigos ou inimigos mas sempre íntimos.

~ A CORDA

HOUVE TEMPO em que os homens podiam saber, com grande probabilidade, o que seria a sua vida em cada idade. As carreiras estavam programadas em todos os sectores de actividade. O pequenito que se empregava em marçano, o jovem que escolhia o estudo das humanidades, o céptico que julgava saber que esta vida são dois dias, faziam as suas opções e seguiam modelos conhecidos. Existiam metas entre as quais se podia escolher, e sinais de realização pessoal que apaziguavam as ambições dos grupos e dos indivíduos. O louvor, a condecoração e o título antecipavam epitáfios ambicionados. Por muitas razões, umas boas e outras más, o panorama mudou consideravelmente. A incerteza aguda é regra em todos os domínios, o embaraço da escolha acompanha a rápida mudança e progressiva complexidade das metas disponíveis. A preparação dos jovens não pode ser feita tendo em vista uma sociedade estabilizada que se analisa na escola e se encontra estruturada na vida. O mundo, de que se fala na época da preparação, já não está lá quando cada um é lançado nos caminhos das decisões e das responsabilidades. Encontra-se coisa diferente, por vezes já diferente no próprio momento do ensino. De facto, o esforço da preparação precisa de ser feito, em cada momento, não para o mundo dessa data mas sim para o mundo de dali a muitos anos, o que tudo exige uma tensão permanente, uma capacidade de previsão sempre à prova, uma humildade inesgotável. E também a luta contra o cansaço. Exige que a complexidade crescente da vida não encaminhe no sentido de uma busca desesperada de segurança completa para eliminar completamente a incerteza da época. Porque a segurança total é substituir todos os riscos, todas as necessidades de decisão individual, por um risco de totalitarismo. É indispensável aceitar e precaver o risco razoável como elemento fundamental da nossa estrutura de vida privada. Ao menos privada.

A eliminação de todo o risco implica a renúncia à liberdade de opção. Traz consigo o excesso da programação imperativa. É a verdadeira alienação e a perda dos direitos essenciais do homem. A renúncia à luta e a aceitação de um qualquer despotismo. A morte do espírito. Não há vida sem risco, quer dizer, sem liberdade de escolha e de aceitação. A eliminação total da incerteza e do risco, e do prazer da escolha, é também a eliminação da liberdade e da vida. Uma segurança parecida com a da corda do enforcado.

~ DOMINGO

VOLTAREMOS. Esta é a promessa dos que um dia, em algum lugar, num minuto breve, sentiram que a vida se devia agradecer. O encontro. Por vezes com alguém, por vezes com nada. Ainda que tenha sido uma daquelas ocasiões em que estiveram a ponto de perder a vida. Trata-se de voltar sem esperança de que se repita a plenitude. Só para agradecer a ninguém. Apenas para lembrar. Andar de novo pelos caminhos da infância, com passos de velho muito embora. E reparar nos meninos que correm e asseguram que esses caminhos serão sempre da infância de alguém. Voltaremos. As grandes tarefas onde todos estiveram ao mesmo tempo. Construindo ilusões, construindo o futuro, construindo o mundo. E gastando a vida. Morrendo cada um, mas nunca todos. Restando sempre vivo alguém que poderá voltar. Contando pela palavra e pelo exemplo. Marcando o lugar. E fixando o dia. Lugares e dias onde os que voltam, de tempos a tempos, são já povos. E comemoram lembranças que são história. Dias que são domingos. Os domingos da nossa breve vida individual, os domingos da nossa vida familiar, os domingos da nossa gente. Cada vez que se esquece, se apaga, ou se proíbe um deles, empobrecemos. Claro que sempre haverá dias de lazer. Mas descansar sem motivo é terrivelmente fatigante. E para os povos é mortal. Não há mal em acreditar nas coisas e dizê-lo. A fé não precisa de ser confidencial. Não apenas a fé religiosa. Também a que se tem na Pátria, e na missão do povo a que se pertence, e no trabalho em que se está envolvido. Há vantagem em ser indiscreto nessas matérias. Ter um domingo. Uma janela aberta por onde o mundo, geralmente curioso, possa ver como somos. Ou ser avisado de como é que somos. Fica tudo mais claro. E mais limpo. Mais domingueiro.

~ OS POBRES

DE REPENTE, no auge da capacidade das sociedades ricas, os observadores descobrem, com desagrado, a outra face. Os deserdados pela cor, pela religião, pela origem, por não se sabe o quê, batem o pé. Identificam-se como pobres. São milhões de pobres, instáveis, como que errantes, doentes por não terem um estado social. As sociedades afluentes sentem-se como se, no seio de uma igreja, tivessem descoberto uma heresia. E uma ameaça de novas vésperas sicilianas de outro sinal. Não é fácil encontrar um Estado que não reclame uma missão que o transcenda. Fazer cristandade foi uma opção honrosa no passado. Aumentar, em proporções que surpreendam, o produto nacional, é a ambição estimulante das sociedades de consumo. Mas lá estão os pobres.

Assim como o incrédulo não tinha salvação, assim o pobre recebe a sua condenação. Despedem-no. Foi uma qualificação moral que evoluiu para um sentido tecnicamente pejorativo. Na curva do crescimento e da prosperidade, esses milhões de pobres representam uma resistência desagradável. Não podem ser os pobrezinhos dos poetas e das orações. São excedentes a contabilizar no passivo. Há, evidentemente, o problema da justiça social. Mas o tecnicismo e o cientifismo não dão raio maior ao círculo da justiça social do que ao círculo da produtividade. O proletariado conseguiu impor a sua presença. Desafia. Tem força. Recebe por isso um respeito que não tem de agradecer. Ganhou-o. Os pobres são outra coisa. São os alienados. Os esquecidos. E o resultado é que ficaram sem modelos de conduta. De muitas crenças, de muitas etnias, de muitas culturas e subculturas, juntam-se porque são deserdados. Quando os pobres eram uma das muitas coisas deste mundo a cargo do homem, um São Francisco podia ensinar pelo exemplo e apaziguar pela doutrina. «As almas sem rumo e as aves sem ninho», que não tinham superado as resistências da vida, podiam aspirar à fraternidade. Mas a sociedade rica e tecnocrata só tem folhas de salário, e São Francisco não tem qualificação para nenhum emprego. Pobres ficaram, mas sem esperança. Simplesmente alienados. E muito rapidamente desesperados. E logo a seguir mobilizados para os caminhos da violência com que os deserdados andam a abanar as colunas das sociedades ricas e tecnocratas. Uma espécie de revolta das salamandras. Mais grave, porque lhes recusaram este mundo e o outro.

~ O VELHO

NA LINGUAGEM DA GENTE que ganha o pão de cada dia com o suor do rosto, a expressão – o velho – tinha, até há poucos anos, um significado rico de implicações sociais na vida privada. Aquele domínio da vida onde se espera e deseja que o poder não cuide dos nossos cuidados. O sentido da palavra estava relacionado com o amor da terra e da família. Tinha um evidente perfume agrário, mas circulava por toda a parte. Era usada para designar o pai. No vale de lágrimas deste mundo, ele tinha-as chorado de sangue para bem dos seus. Um bem que muitas vezes não ultrapassava a batalha da subsistência. Mas tão premente era essa luta, que tudo o mais era supérfluo. Velho, era o pai. O pai de cada um. Além da ternura que ultrapassava todas as formas de gratidão, a *palavra* exprimia ainda a evidência e acatamento de um certo saber que se adquire por ter vivido. E tudo isto é do foro da amorosidade, sem nenhuma ligação necessária com o mando.

Todavia, a palavra veneranda emigrou para a vida das instituições, das empresas e do próprio Estado. O Senado, com muitos nomes de circunstância, era de todas as actividades, por muitas razões cientificamente determinadas. O velho andava na boca de toda a gente e por toda a parte. E todos marchando ou parando à voz do velho. Um sistema, sem os limites da amorosidade natural, a demorar os velhos em todos os comandos. Mas tempo de mais, no capítulo da utilidade, de acordo com os critérios de uma sociedade que entretanto foi perdendo o gosto e a paciência para o paternalismo político. Uma designação abusiva que não tem nada a ver com o pai de cada um. Desaparecido o perfume agrário, o velho que comanda transformou-se, para fins de avaliação, análise e uso, num geronte. Quanto rende e quanto custa, são as perguntas essenciais de um questionário ao qual a condescendência acrescenta outras. Critérios novos para tempos novos.

Com uma espécie de justiça poética. Mas critérios que vão ilegitimamente transbordando, de retorno, para a vida privada. A palavra como que regressa às origens, empobrecida. A contabilização da sociedade industrial e tecnocrata não sabe dar expressão à amorosidade que não encontrou nos domínios da autoridade pública. Por insuficiência de análise, ajuda a divulgar uma atitude igual na vida pública e na vida privada. E tudo por abusiva liberdade semântica. Os pais ficam outros. Os filhos também. E a sociedade empobrecida em amorosidade, sem ter ganho nada nas perfeições do poder. Os velhos proibidos de ser avós, pela urgência de os proibirem de ser ministros.

~ AMANHÃ

O MUNDO está em processo de mudança. Claro que sempre esteve, mas atingiu um ponto crítico. Maior quantidade e maior velocidade em todos os escalões do processo. Nunca fomos tantos ao redor da Terra, nunca soubemos tanto uns dos outros, nunca dependemos tanto de cada um e cada um de tantos. Mas, também, nunca as vizinhanças foram tão ocasionais e episódicas, nem tão grave a falta de equação entre as instituições e a vida. O drama principal do que resta da geração que atingiu a maturidade foi o de ter sido formada para o mundo da estabilidade, e obrigada a viver a época da mudança. Tentando futurar dos resultados, e converter, e adaptar, e reinventar as categorias com que é obrigada a entender a passagem de um mundo para outro.

Foi sempre necessário que uma geração contestasse alguma coisa da obra da anterior. Que rejeitasse um tanto e que aceitasse o resto. Mas provavelmente não aconteceu antes que a mesma geração tivesse de optar entre rever a sua própria atitude ou morrer na angústia de não ter adivinhado o mundo, de ter acreditado, e de reconhecer que muitas vezes os valores que lhe pregaram foram uns e os actos dos que a guiaram foram outros. Sonhou a paz, por ela sacrificou milhões dos seus jovens, sem acabar com a guerra; aceitou lutar pela abundância, e encontra o mundo dividido entre povos ricos e pobres que não se estimam; adoptou a igualdade do género humano, e defronta com o racismo; acreditou na igualdade dos povos, e reencontrou o genocídio. Nesta contradição foi morrendo. O que sobra, são restos de uma geração de maioridade tardia. E já sacudida pela geração seguinte. Entre o desejo de receber veneração e a raiva de só poder exibir sacrifícios. E estes não contam. Só contam os resultados úteis. E estes ninguém os agradece. Se não tiverem a humildade da revisão, os que restam por esse mundo fora, da geração que foi morrendo traída, só podem entoar o cântico do desespero. Sem vantagem em olhar para trás, sem frente para onde possam olhar. A sós. O verdadeiro inferno. E todavia é mais fácil o caminho da coragem. Olhar o mundo em processo de mudança. Lutar para reinventar. Porque há sempre um amanhã. E amanhã sempre tudo estará melhor.

~ O DICIONÁRIO

A ARTE DE BEM GOVERNAR andou sempre ligada à arte da poupança. O povo ironiza, mas aprecia. No poupar é que vai o ganho, dizem. O talento do pé--de-meia grangeia respeito. Mas há coisas em que não vale a pena passar necessidades. Não se adianta nada em economizar nas ideias. Quando existem, é usá-las. E, sempre que possível, as próprias. Poupar, é nas dos outros. Por decência. Havendo precisão, é melhor dizer. Nas próprias, todavia, o aconselhável são as mãos rotas. Fala-se de reis de um povo antigo que poupavam antes nas estátuas. E isso já se percebe melhor. Sempre que morria um, raspavam o nome do morto e escreviam o novo. Uma estátua dava para uma dinastia. Não havia jornal oficial e por isso não podiam usar o mesmo procedimento com as leis.

Hoje ser-lhes-ia possível fazer ambas as coisas. Mudando um ou dois artigos, ou nenhum, podiam facilmente inovar sem mudança. Mas aquilo em que este método de poupar se mostra especialmente prome-tedor, é na História. Pensava-se que o que boa História faz, nela se deita. Hoje, a arte de bem governar aumen-tou os seus conhecimentos. Sabe que quem se deita na História é quem a escreve. Há países em que as edições da História do regime são tantas quantas as mudan-ças de Governo. Cada novo ministro escolhe, a seu gosto, o papel que gostaria de ter desempenhado em acontecimentos do passado. Se não houver concorrente de maior importância, vai deferido. Aproveitam-se os factos. Poupa-se. As palavras são de uma submissão e de uma docilidade que fazem envergonhar os contribuintes. Estes, de vez em quando, protestam. As palavras não. Acomodam-se pela ordem que lhes foi determinada. Fica ainda uma falha, que é o sentido das palavras. Por vezes, num assomo, teimam em assinalar um resto de outros passados, ou em insinuar uma possibilidade de outros futuros. Liberdade irritante que aponta para uma reforma de grande alcance. Trata-se de acrescentar, às faculdades do mando, o poder de decretar o dicionário. As palavras são dóceis mas também são levianas. Não é certamente possível proibi-las de tontear, como coisas vivas, a ganhar sentidos e a mudar de sentido nas bocas do povo. Mas do que se trata é de escrever a História em que se deitará quem manda. Dicionário. Porque, para isso, serve perfeitamente uma língua morta.

~ A MILÍCIA

DURANTE SÉCULOS, e até não há muitos anos passados, as grandes áreas culturais do mundo não podiam reconhecer-se sem uma teologia. Falavam de si próprias como cristãs, ou budistas, ou maometanas. As coisas, entretanto, mudaram muito. Ainda recentemente, e na linha da evolução, alguns importantes órgãos de informação mundial lançaram um inquérito sobre a questão de saber se Deus faz falta ao mundo. Um método que não lembrou aos profetas, mas que é também um sinal dos tempos.

As sociedades que a si próprias se chamam industrializadas, ricas e consumidoras, deixaram de se identificar por certa forma de honrar a divindade. Querem ser conhecidas pelo modo como produzem, pelos meios de que dispõem, pelo mercado que definem. E aparentemente buscam libertar-se de velhas etiquetas inúteis. Por inquérito, como convém a uma civilização de computadores. Acontece todavia que, ao lado delas, contra elas, e dentro delas próprias, subsiste todo um pluralismo de gentes deserdadas desses novos patamares da máquina, das disponibilidades e dos mercados. Continuando a ser, antes de outra coisa, pobres. Pobres como indivíduos, pobres como grupos e pobres como párias. Pobres até de espírito que sobeja aos outros. O crescimento nos caminhos da industrialização e do excesso de disponibilidades não estabeleceu a paz entre brancos e pretos. Nem entre judeus e maometanos. Nem entre as gerações. Nem entre o passado e o futuro. Nem entre cada um e o seu projecto. Nem entre todos, que são o género humano ao redor da terra, e a marcha do mundo. Por muitos lados espreita o autoritarismo sem doutrina, o planeamento sem humanismo, o providencialismo sem carisma, o programa sem alternativa, a imposição sem crítica, o combate sem metas, a morte sem motivo. Por isso, o referido inquérito parece antes uma indagação, implorante e tímida, sobre o problema de saber se Antígona deixou descendentes. Uma indagação de urgência e uma convocação. Uma chamada à única milícia capaz de dar ao mundo, industrializado, afluente e consumidor, ou simplesmente pobre, o suplemento de alma que lhe falta.

~ O TEMPO

É UMA TAREFA PARA A VIDA inteira, e portanto é a própria vida. Olhar o mundo. Correr mundo. Ver gente. Conhecer gente. Compreender para agir, e agir para compreender. Depois de tudo, contribuir modestamente para a construção que é de todos, colocando uma pequena pedra com um breve gesto. Para então descobrir, com frequência, que o mundo que finalmente se compreendeu e amou, já não existe. Reconhecendo que só levantamos voo ao entardecer, como a coruja de Minerva. Encontrando sempre uma República que não foi a sonhada. A lonjura entre o sonho e o possível. O abismo entre o possível e o real. E quantas vezes só porque o tempo trabalhou contra todas as esperas. Ensinando friamente que a única irreverência que não perdoa é que o percam. Porque o tempo não reconsidera. Não condescende. Não pactua. Não amnistia. Passa. E não cura das culpas de ninguém. Passa por cima. Não repara na vida gasta de quem espera o despacho para a pretensão humilde, que todavia é todo o seu projecto neste mundo. Passa. Não olha para o desperdício do talento que não chegou a falar porque lhe não deram a palavra. Passa. Desdenha a juventude que se fez velhice sem uma ocasião para se realizar. Passa. Ignora a geração que se bate por falsos projectos e que morre traída. Passa. Não escuta os povos que não puderam deixar a sua marca na construção do mundo, ou dos quais outros apagaram a marca. Passa. Nem vê os vencidos, os pobrinhos, os humilhados, os ofendidos, os mudos de espanto, os cegos de dor, os amedrontados, os famintos de amor. Nem, como diz a lenda, os que não podem cantar não sendo livres, e que se não cantam, morrem. Muito simplesmente passa. E passa muitas vezes pela porta obsequiosamente aberta por mãos que tinham outros deveres. Mas que gastam nessa demora sem prémio o tempo que é de todos. Quando a pretensão espera, o projecto dorme, o processo não anda, o trabalho não começa, a estrada pára, o decreto não sai, o crédito não vem, a promoção se adia, o concurso se interrompe, a resposta se ilude, a opção não é tomada – o preço de tudo isso chama-se vida. Porque, para cada homem que espera, o tempo usa esse nome. E quando o tempo se perde, é a vida que se esbanja. A vida dos outros. Os projectos dos outros. O destino dos outros. A plenitude dos outros. A salvação de todos.

~ O VERBO EU

FAZ PARTE DA ÉTICA dos homens simples a recomendação de que o triunfo deve ser acompanhado de modéstia. Os Romanos tinham um cerimonial para isso. A humildade, sempre, desde o princípio do caminho. Coragem, em todas as circunstâncias. Trata-se, enfim, não tanto de ser um homem simples, como de simplesmente ser um homem. Um daqueles homens que são os verdadeiros construtores das pátrias, porque cumprem sem alarde os deveres quotidianos e aceitam os erros e os acertos com naturalidade. Nunca olham para os desastres, que eventualmente os rodeiam, lavando as mãos do passado com o ar de não terem nada a ver com o presente. Não tremem diante dos salpicos da responsabilidade. Sabem que as instituições duram mais que os indivíduos. Nunca lhes ocorre serem interlocutores do seu povo, porque fazem parte dele. Quando lhes acontece ver mais longe, lembram-se que isso só é possível porque estão aos ombros de gigantes. Os que nos antecederam, progressiva e gloriosamente anónimos conforme os séculos vão correndo. Não é útil que alguém acredite que o universo foi um processo exclusivamente destinado a permitir-lhe aparecer na terra. E fazer o seu número. Esperando dos outros o pasmo que julga indispensável e a veneração que considera de direito. E todos finalmente realizados e agradecidos pelo facto de o ouvirem conjugar o verbo eu em todos os tempos e numa só pessoa. A única vantagem conhecida é que não precisam de cronista. Contam a sua própria história. Só precisam de comentadores. E, naturalmente, de comentários breves. Porque a corrente da história não passa por esses cumes. Quando o lavrador madruga para regar, o operário conduz a máquina, a mulher acende o lume, o padre reza, o professor ensina, o velho medita, o soldado combate, o jovem contesta, então é realmente o mundo que está a ser construído. Nascem assim os caminhos que hão-de ser estradas, o saber que há-de ser ciência, o sonho que há-de ser gesta, o esforço que há-de ser passado, o entusiasmo que há-de ser futuro. A comunhão. Cada um servidor de todos e ministro do bem comum. Felizes de pertencerem a um povo capaz de inscrever a sua marca em todos os lugares da Terra. A marca que fica quando todos os nomes se apagarem, todas as lápides se partirem, todas as incrições se desvanecem. Quando um homem, trepado nos ombros desses gigantes, consegue dar uma palavra de conselho, acrescentar uma ideia, remediar um mal, elucidar uma dúvida, preservar um valor, inovar uma solução, deve agradecer em silêncio a graça de um dia ter vivido, em plenitude, o espírito do seu povo. O verbo eu, não tem nenhuma forma que sirva para essa espécie de oração.

~ O CHARCO

NÃO HÁ CERTAMENTE cuidado mais lastimável do que aquele que se traduz em impedir a realização dos projectos dos outros. Só porque são projectos, só porque são dos outros. Todavia não falta quem faça, da sua própria vida, uma exemplar missão de impedimento. Gente que vê longe. E que, quando lhe acontece desempenhar uma função pública, também vê do alto. Modestos nas suas ambições, não desejam acrescentar nada à construção, não desejam acrescentar nada à construção do mundo. Se lhes acontece edificar um muro, é acidente de que não se gabam. Para serem felizes basta-lhes o que impedem de ser feito. Nas horas calmas de revisão do passado, contemplam alegres os desertos que asseguraram. Recordam ideias cuja divulgação impediram.

Apontam propostas que rejeitaram. Descrevem planos que arquivaram. Enumeram actividades que paralisaram. Uma fadiga. Mas uma fadiga compensada pela interminável teoria de malefícios que demonstram ter evitado, com seguro critério do interesse público e evidente predestinação, tudo conjugado para benefício dos que se limitam a ter ideias. Se alguém se lembrou de acender uma vela, eles lá estiveram a tempo para assoprar. Perdeu-se talvez alguma luz, mas eles demonstrarão que evitaram um incêndio. Se tivessem chegado a tempo, teriam proibido a construção das caravelas. Perdia-se um bocado da História da humanidade, mas eles poderiam gabar-se de ter evitado um grande número de naufrágios. Homens que só acrescentam a tristeza deste mundo e que estão para os valores como um charco para a chuva. Um charco que não tem sequer a grandeza dos pântanos. Porque quem é que ainda não viu chover num charco? Pois é disso que se trata. Águas paradas, escuras, repulsivas, demissionárias da sua condição de água. Estão para ali, mortas da vida que tiveram, sem corrente, sem revolta, sem préstimo. Um cadáver do que já foi água, sem a qual, daquilo que vale a pena, nada cresce. Pois cada gota de chuva que cai num charco é um projecto de vida que se perde. Água pura que logo morre. Uma alegria que vem do alto e acaba antes de poder sorrir.

~ O LEGADO

EM VÁRIAS CIRCUNSTÂNCIAS, a palavra tem de ser pronunciada. Certa palavra. Dita a tempo, na ocasião apropriada. Riscos, consequências, perdas, tudo é um preço irrisório para a plenitude de ter dito. Por vezes, apenas que sim ou que não. Ainda que, para logo, ninguém escute. A palavra fica e nunca está perdida. E o que resta, no limite de todas as violências, para deixar a mensagem que todo o ser da criação tem o direito de acrescentar à sabedoria das gentes. Dizer. O mundo ficará para sempre diferente, e será outro. Tudo por causa do homem que foi capaz de dizer. Mesmo quando a mais eloquente maneira de falar seja o silêncio. Coisa que não se confunde com estar calado. Há silêncios que gritam, e que portanto também são uma necessária e imprescindível palavra. Os poderosos não estimam nem uma maneira nem outra. Usam detestar cordialmente a espontaneidade da palavra e a sugestão do silêncio. Sabendo que é muito mais difícil lidar com o último. Vê-se que um homem reza sem escutar a prece. Pode cortar-se uma palavra, mas não há modo de fazer calar o silêncio. Faz-se ouvir na falta de aplauso, na omissão da presença. O sino que pára ouve-se mais que o sino que repica. Ao contar as vozes submissas, avulta a lacuna. Que é justamente o espaço onde avulta um homem, que falta no telegrama, no cumprimento, na vénia. Que falta no voto. E todavia não pode deixar de ser ouvido. O gosto pela manifestação ainda não conseguiu evitar que se contem os que não foram. São clareiras no meio da multidão. A consagração das mensagens sublinha a falta de assinatura. São laudas em branco. Dizer a tempo, de uma maneira ou de outra. Segundo a tradição dos advogados, com a verdade numa das mãos e a cabeça na outra, para que disponham de ambas. Deixando o legado da coragem. A mensagem que fica. Um dia – um povo, uma geração, um homem, escutarão sur-preendidos. Vozes que disseram a tempo. Silêncios que ficaram. O legado. Uma linhagem. Até que algum dia a palavra se transformará em acção.

~ A PANTOMINA

São muitos os legados da experiência ocidental de que nos falam pouco. Mas em que se pensa muito, por força das circunstâncias. Falam-nos muito de outros legados, em que se pensa menos. O primado da lei, a intangibilidade da paz, o respeito pelos direitos, o valor da liberdade física, são desses legados em que todos falam. Todavia multiplicam-se diariamente no mundo os factos indiscretos a insinuar que esses legados andam presentes nas palavras e afastados do pensamento. Dá a impressão que alguns poderes se esmeram em, ao mesmo tempo, dizer o que é justo, pensar o que é útil, e fazer o que lhes convém. Fica tudo um pouco equívoco no domínio dos princípios, mas coerente no campo dos interesses. O frio interesse das potências. Trata-se de aplicar um daqueles legados em que se fala pouco. É a velha tradição maquiavélica. A jurisprudência dos interesses não se embaraça com a ética. Quando é refinada, adopta apenas uma estética. Esmera-se em tecer mantos de compostura. Se acontece que o manto a embaraça, despe-se. Não há problemas de pudor, só de eficácia. Repare-se no desembaraço que vai por esse mundo, quando se trata dos interesses dos outros. E muito especialmente quando os outros são pequenos países. Hungria, Tibete. Quem tem força, joga-a. E pronto. Onde está o poder, o legado maquiavélico vive rodeado de cuidados. Época de violência. O poder é usado como qualquer outra forma de riqueza, em proveito de quem o tem. Sem missão universal. Sem função social. Pode descer à rua e cantar e bailar à luz das fogueiras, assando vitelas e fazendo correr o vinho.

Marcando pratos e copos. Sem princípios, o poder está sempre na sua casa. Pondo e dispondo. E claro que alguém tem de cuidar dos valores. Mas se não forem os poderosos deste mundo, só restam as vítimas. Os povos esmagados, os países desafiados, as populações agredidas, as instituições humilhadas, os indivíduos perseguidos. Ao poder irresistível e sem ética não pode sempre responder-se com êxito. Mas pode sempre fazer-se uma divisão de atitudes. Guardar a dignidade e deixar-lhe o privilégio da pantomina.

~ A VERTIGEM

PARA O VERBO TODOS os dias são princípio. Um diálogo para cada homem. O soldado que morre isolado no seu posto, o marinheiro que fica preso ao leme, o colono que não abandona a terra, a mulher que amamenta até ao sangue, o pensador que troca a liberdade pelo dizer, todos escutam vozes que os amarram, num diálogo sem outras testemunhas. O homem, a sós com o seu destino, escuta o verbo. O geireiro que, humilde e exemplarmente, passa décadas de uma vida sem esperança, a madrugar, na lavra, a semear, na rega, a conversar com a terra, que é dos outros, para sustentar uma família que é a sua, obedece às vozes que escuta. A construção do mundo não deixa nenhum obreiro sem diálogo. Um diálogo de que as obras dão testemunho, mesmo quando mais ninguém o escuta. É na acção, e pela convergência das marcas, que se documenta a coincidência das mensagens. Mas, de tempos a tempos, as vozes enlouquecem. Cansadas de não serem ouvidas. Ou de serem deturpadas. Ou abafadas. Ou traídas. Falam então a quem não escuta, calam-se para quem precisa, dizem o que não devem. Entram numa vertigem. Porque as vozes também sofrem de falta de paciência. Séculos perdidos a aconselhar, espaços de gerações a pedir, dias passados a suplicar, o tempo a correr, e a tudo orelhas moucas e mãos paradas. Adiando. À espera. Um dia se fará. E, entretanto, o soldado no posto, o marinheiro no leme, o colono na terra, a palavra inútil, o leite seco. Um deserto. As vozes clamando. E, logo a seguir, a vertigem. As mãos já não trabalham nem rezam, fecham-se para amaldiçoar. As enxadas já não são ferramentas, são armas. As palavras deixam de ser orações, para serem pragas. Por cada adiamento, uma dor. Por cada omissão uma ferida. E a vida curta. E cada homem um fenómeno que não se repete. A consumir-se inutilmente, sem dar luz. A violência. O sangue. A vertigem. E todavia com o Sol a nascer cada manhã. Porque para o verbo todos os dias são princípio.

~ ÂNCORA

O MUNDO FOI CRIADO para o homem, e a ânsia de o palmilhar é irreprimível. Caminhar. Emigrar. De terra em terra, a conhecer gente e coisas. No uso do sagrado direito de ir por esse mundo. Fugindo ao tédio, fugindo à opressão, fugindo à pobreza. Em busca da paz, ou de uma paz diferente. Mas sonhando em voltar. Emigrar, mas ficando sempre preso a um canto que é mais nosso no mundo que é de todos. Preso à Pátria pequenina que é a aldeia de cada um. Preso à Pátria. O emigrante sofre uma agonia mais longa do que a da outra gente, porque em geral parte jovem e é nesse momento que ela começa. Morre-lhe logo à partida o amparo da madre antiga que é a terra de origem. Os seus amigos de velho não serão os da infância. E com isso morre um pouco. Uma sede de água, não a poderá matar nas velhas fontes. Morre. A língua em que aprendeu a rezar, não é a mesma em que aprende os desenganos de viver. Vai morrendo. Mas sempre, no mais íntimo do coração, a esperança da volta e do reencontro. O velho professor, o velho padre, a velha árvore, a romaria, o companheiro, o pai. E entretanto, na frieza das coisas que pertencem aos sábios, o drama chama-se fenómeno e desenrola-se em tratados, acordos mútuos, regulamentos, remessas, divisas, balanças de pagamento, inflações, mão-de-obra. Com muita ponderação de factores positivos e nega-tivos. E os homens longe. E as famílias separadas. E as esperanças mortas. O rosário das mágoas que não cabem nos conceitos dos mestres. As lágrimas que não pesam nas balanças de pagamento. As dores que não entram nas reservas monetárias. Uma outra vida. A própria vida. A vida de cada um, que não se repete. Amando sempre as origens. Inventando e desenvolvendo, ao redor da terra, um culto. Implantando, em todas as latitudes, as imagens dos mesmos santos e dos mesmos heróis. Santo António, Vasco da Gama, Gago Coutinho. Sem que ninguém lho ensine, contando as mesmas lendas. Lendas dos mouros, lendas da Índia, lendas de África. Lendo os mesmos livros. *Os Lusíadas,* a *Cartilha* de

João de Deus. E pensando sempre em voltar às origens. Mesmo quando, nos lugares dos destinos, os filhos os prendem para sempre. Porque os filhos são a âncora. Onde eles tiverem nascido, está o ponto de chegada. Onde os filhos pertencem, é lá que preparam a sepultura. Mas fica sempre a busca das amarras. Um projecto que em muitos lugares tem séculos. Perdida a língua, mudada a religião, esquecidos os hábitos, alterado o nome, o projecto persiste. Ao menos não esquecer. Manter as amarras. Um imperativo que alegra e magoa. A saudade ancestral. A dor hereditária. A privação secular. O mistério da origem. A perenidade da herança. A amarra da âncora.

~ ACASO

TODOS CONHECEMOS análises fascinantes do problema do acaso na História. Mas são menos frequentes os estudos sobre esta preciosa coisa que é fazer história por acaso. Homens que estavam lá. Lembre-se alguém de falar sobre a domesticação da energia atómica, e logo um desses predestinados homens, em geral agarradíssimos à coisa pública, revelará um detalhe essencial que escapou aos cronistas. Um detalhe, por acaso, relacionado com a sua própria vida. Um jantar, a que assistiu nesse dia. Um comentário, feito publicamente a essa hora. Um pensamento, infelizmente não retido. Mas sempre alguma coisa sem a qual a domesticação da energia atómica não teria sido possível. Que alguém se atreva a falar de coisas que foram feitas, e logo lhe demonstrarão que, sem o seu conselho, não teriam sido possíveis. Aponte alguém um malefício público, e logo lhe será finalmente revelado que só aconteceu porque um sábio e muito oportuno conselho seu não foi seguido. Enuncie qualquer um pensamento, um projecto, uma dúvida, que mereçam atenção generalizada. Logo um desses publicistas lembrará que já tinha dito. Homens que carregam o pesado fardo de sempre já ter dito e de sempre ter lá estado. Se não fosse por existirem textos muito conhecidos que podem dar origem a polémicas deselegantes, facilmente demonstrariam que tinham estado presentes no acto da criação e que o Verbo lhes devia algumas sugestões. Prescindem dessa reivindicação, mas ainda lhes fica um mundo de coisas mais pequenas. Não há esquinas que cheguem para celebrar o nome de tão prestimosos cidadãos. A coisa pública deveria ser-lhes entregue em propriedade, ao que nos deixam suspeitar que é o seu pensamento. Porque a sua pesada vocação, segundo parecem acreditar, obriga-os a dar passos na História, quando apenas os queriam dar na rua. Nunca suscitam simpatias, provocam paixões. Não logram um aplauso, só conseguem aclamações. Não marcam um encontro, só manifestações. A vida modesta de quem trabalha e erra, estuda e duvida, tenta e falha, pede e não recebe, ama sem esperança, dá sem recompensa, está-lhes completamente vedada. Condenados a ter estado lá, a já ter dito. Presentes na criação. Inspiradores do Verbo. Ricos de espírito. Suficientemente resignados para aceitarem que, se este mundo não é de Deus, alguém deve tomar conta dele. Eles próprios, que, por acaso, iam passando neste mundo.

~ O SÍMBOLO

OLHEM AS VINHAS QUE, nas terras altas, trepam pelas montanhas, de muro em muro. Uma escada suave, medida e feita com amor, para que as plantas subam sem cansaço. Os muros de muitas pedras, abraçadas umas com as outras sem mais segurança. Escolhidas para que casem bem, ficando ali séculos, a ver as videiras crescer e dar fruto. As pedras e a vinha levadas ambas, encosta acima, por mãos ignoradas. Muitos avós, muitos pais, muitos filhos. E o ciclo recomeçando. A terra é aquela e é assim, por causa disso. Cada uma dessas mãos criadoras regressou anónima ao pó da mesma terra. Uma terra heróica, porque bebeu o heroísmo de gerações anónimas. Olhem a velha cidade. As ruas tortas, as casas mal encontradas, as cores muitas, as travessas, os becos, os largos, e sempre um garoto atrevido, uma rapariga sadia, um homem triste, um velho sereno, um trabalhador decidido. E tudo junto como se não pudesse ser de outra maneira, feito por muitas gentes, de muitas épocas, que sem falar se entenderam. Persistentes, anónimos e heróicos. Irmãos dos que semearam os pinheiros, cortaram as árvores, afeiçoaram as tábuas, juntaram-nas em caravelas, seguraram o leme, içaram a vela, empunharam a espada, desceram em novas terras, construíram a casa, fizeram filhos. E morreram anónimos. Mãos dadas com mulheres que sabem de palavras que apaziguam dores, de outras palavras que Deus escuta, e sabem remendar, e lavar, e coser, e amar, e esperar, e perdoar, e esquecer. Anónimas. Mestres que ensinaram aos meninos a lealdade, a coragem, a persistência, a moderação, a modéstia, e o amor da sua terra e dos seus. Que sobretudo ensinaram pelo exemplo, sem muitas palavras, sem nenhum livro, sem títulos, sem veneras. Pela acção, anónima e gloriosa. Todos aqueles que, sem nome, sem graduação, esperaram de pé os desafios e responderam com firmeza. São eles todos o povo que sabe dos caminhos certos nas horas incertas.

E que então, com as suas mãos anónimas de gigante, ergue um dos seus filhos em direcção ao céu. O herói. O símbolo. O homem vulgar que transcendeu a sua condição individual para exprimir apenas as virtudes da sua gente. Sem outro requisito que não seja pertencer--lhe. Nenhum demasiado humilde para ser escolhido.

~ OS DEFINITIVOS

São muitos e embaraçantes. Não podem dar um passo sem uma definição ensinada por alguém. E um viático. Que teimam em repartir com incómoda generosidade. As coisas não lhes interessam tanto como a definição das coisas. Amam as definições e sentem-se definitivos. O mundo que se amanhe como puder, no caso de discordância entre os factos e o arrumo pedagógico. Está a vida ali, na frente dos nossos olhos, mas obrigam-nos a não olhar e dizem que é para não ver errado. Sentem-se inclinados a ignorar tudo o que não couber na simplificação dos esquemas escolares. Sempre que encontram alguma coisa de novo, vão ao índice. Este permite-lhes negligenciar toda a parte da vida que não tenha cadastro histórico. Julgam que aquilo que não puder ser abonado com pé de página, também pode ser ignorado. Na acção não dissipam as dúvidas, e com dúvidas não agem. A vida que espere. Acontece que, de vez em quando, essa vida esquecida protesta e reduz bibliotecas inteiras a papel de embrulho. E não adianta grande coisa, para o prestígio dos sábios, observar que o protesto não cabe nas definições em vigor. O protesto não repara nisso, passa adiante. Uma atitude que os definitivos dificilmente podem retribuir com esperança de êxito. Não nasceram para entender nem para ajudar a corrente da vida. Ignoram a força inspiradora dos valores e usam as definições como diques. Como maneiras várias de dizer que não. Não ao que for novo, não ao que for diferente, não ao que simplesmente ignoram. Não sabem que só os valores são eternos, que a escalada deve ser feita com alegria, e que tudo o mais são frágeis ferramentas para ajudar a dizer que sim à vida que vai crescendo e subindo. A ajuda que conta com o nosso direito de olhar, e de ver, e de reconhecer, e de dizer aos outros. Que não dispensa o nosso direito de ir de um lugar para outro, de simplesmente caminhar sem pedir licença. Andar com os nossos pés, ver com os nossos olhos, tocar com as nossas mãos, falar com a nossa boca, usando as nossas palavras. Tudo para evitar que se perca essa oportunidade única que cada homem representa de contribuir para o bem de todos. Porque não é só um homem, não são apenas alguns homens, que têm dentro de si a centelha da criação. Todos estão no mundo para compartilhar. Acrescentando. Contribuindo. Somando. Quando alguns não participam, são todos quem perde. E sempre que a soma aumenta, as definições envelhecem. E com elas, os definitivos. Porque o mundo é cada dia outro.

E sempre o mesmo em busca dos valores. Mais longe e mais alto. Eles é que não envelhecem, nem podem. Clamam por todos os homens. Com tarefas para todos e cada um. Diferentes mas iguais. Com todos os sentidos alertados para o desafio. E com o direito de usar todas as faculdades. O direito de caminhar, de ir de um lugar para outro. O direito de olhar. O direito de transmitir. O dever de estar na aventura que é deixar este mundo um pouco menos infeliz do que o encontrámos.

~ NINGUÉM

NASCEU PORQUE ESSA É A LEI da natureza e o que manda a religião. Pobre, porque as coisas são assim. Aprendeu o que é preciso saber deste mundo pelo método de olhar e fazer. Horas a ver os outros e a fixar o ritual. Os outros são tudo quanto puder ser observado, com vida ou sem ela. Os caminhos, os ribeiros, as rochas, o Sol e a chuva, as plantas, os bichos, o vento e a outra gente, tudo é para ser entendido. E o problema da obediência. A uns por isto, a outros por aquilo. Em nome de muitas coisas, algumas que se podem entender, outras que se entendem menos. Decidido por gente que conheceu e amou, e decidido por gente que nunca viu mas que acreditou existir. Esta muito mais do que aquela. A terra deve ser amada de certa maneira; a lavra assim; semear esta coisa; o rego deste modo; o mercado em tal dia; a paga, tanto; o imposto, este. Com a obrigação de continuar a espécie. Ter mulher e ter filhos. Ela aprendendo as mesmas coisas por igual método de olhar e fazer, e ainda tudo o que às mulheres pertence. Dar a mama, limpar, benzer, esconjurar, corrigir. E assegurar a ligação entre este mundo e o outro. Assim vão os dias da vida. O ritual do trabalho, o ritual da família, o ritual da terra, o ritual da autoridade. E cuidar dos mortos. Aprender também, e aceitar, o sentido das coisas e das pessoas. Depois, fazer com amor o que aprendeu a fazer e a amar. Madrugou para o trabalho, em todas as estações e em qualquer tempo. Amanhou a terra, sem diferençar entre ser dos outros ou sua. Do que se cuida é da terra e não de saber a quem pertence. Ela mereceu-lhe tudo, sem culpa do resto. Pagou as suas dívidas. Entregou o imposto. Respeitou pai e mãe. Teve questões com o próximo, mas um homem precisa de aliviar. Praguejou, mas sem intenção. Atendeu às obrigações da fé. Teve mulher e filhos. Ela sempre no que era da sua lida. Os filhos ensinados pelo método de olhar e fazer. A casa foi limpa e conservada. Os animais receberam o trato que convinha. O estrume foi usado. Sempre que os sinos repicaram, foi. Para a missa, para o casamento, para o enterro, para a desgraça. Esteve junto dos outros e fez o que era de preceito. Riu algumas vezes e chorou mais. Mas nunca faltou. Sonhou coisas diferentes, tentou algumas, não conseguiu grande coisa. Mas a obrigação sempre cumprida. O que se espera de um homem é muito árduo, mas aguentou. Quando foi preciso, partiu para longe e bateu-se por aquilo em que acreditou. Pelas várias maneiras que tem o combate. Trabalhou noutras coisas, noutros lugares, para outras gentes, com outros rituais e outras obediências. Mas sempre por causa da terra, e da mulher, e dos filhos, e do sentido das coisas. Para que tudo isso possa sobreviver. Também pegou em armas, quando o combate foi esse. Ou ficou, sem partir, muito simplesmente agarrado ao lugar da origem, quando ali foi o seu posto de guerra. Para cada tarefa, nunca hesitou. Um homem cospe nas mãos, esfrega-as, e faz o que é preciso. Enquanto pode. Depois morre, por qualquer uma das poucas maneiras que há para morrer. Mas ficou tudo assegurado. Por ninguém.

~ O PATAMAR

São muitos mundos para fazer o mundo. Mas há sempre um que é mais falado. Mostra-se nas placas comemorativas, dá nome às ruas, deixa memórias, escreve a História, condecora-se, providencia sobre os epitáfios. Estes variam no que dizem, mas obedecem a um modelo conveniente. Demonstram sempre que esse mundo ostensivo fez coisas certas, antecipou acções que resultaram, discursou de forma apropriada, disse a palavra esperada, fez a vénia exacta. Não hesita em assumir as responsabilidades pelas vitórias, reivindica todas as iniciativas que triunfam. Demonstram que denunciou a tempo todos os fracassos. A rebentar de suficiência, sabe. Admite que nem tudo está bem. Mas que melhor poderia fazer, alega, vista a incapacidade dos outros?

Entre os outros arruma os que se limitam a cortar a pedra em que se escrevem as placas; a construir as casas que fazem nascer as ruas; a produzir o papel e a tinta; por vezes, a bater as palmas. E ainda os que lutaram sem vencer; erraram sem desculpa; estudaram sem concluir; pediram sem resposta; morreram sem motivo. Ao lado dos que não receberam nem água nem pão, quando tiveram sede e fome. E dos que não chegaram a perceber porque é que foi necessário andar por cá, e ficaram simplesmente a olhar, remoendo a tristeza de não entender, parecendo-lhes que tudo podia indiferentemente ser de uma ou de mil outras maneiras diferentes. Ao lado de todos os que nunca tiveram projectos grandiosos, e esgotaram a vida sem levar a cabo as modestas tarefas que lhes couberam. A mulher cuja única missão foi limpar infatigavelmente a escada por onde sobem e descem as glórias ostensivas. Anos a esfregar, a sacudir, a aprimorar, com muitos pés ilustres a passar, e a escada invariavelmente a necessitar de cuidados. O indispensável homem que se consumiu de mão estendida para o batente da porta, a abrir e fechar, a dobrar-se, a saudar. Os anos a correr, as glórias a entrar e a sair, e ele estendendo a mão, agarrando o batente, abrindo, saudando, fechando a porta. Outra vez, e sempre, até à consumição da vida. A jovem a quem pertence escrever à máquina as palavras definitivas dos outros, batendo cada letra. Tão poucas letras, e todavia uma tarefa interminável de que não chega a ver as palavras e as frases. Há-de ser velha, e as letras sempre ali, numa dança de passos repetidos. E as glórias a queixarem-se das gralhas. Sem reparar nos que procuram esconjurar a amargura aceitando tudo e rezando por todos. Com esperança, sem recompensa. Mas somando a oferenda do sacrifício a muitos outros sacrifícios de muitas e variadas oferendas. Aguentando, com o olhar atento, a mão pronta, o gesto a tempo, a dor calada, o grito reprimido, a raiva amarrada. E os que não puderam mais, e berraram, e praguejaram, e esbracejaram, e acabaram esgotados. E os que decidiram fazer uma nova história. Desfazer o mundo antes de o refazer. Começar em vez de recomeçar. Negar tudo o que está, para aceitar não importa o que vier. Demolir. Reduzir tudo ao princípio. Retirar as placas, riscar os relatos, eliminar as veneras, apagar as lembranças. Para depois reconhecer que o novo modelo repete o velho, que as inscrições renascem, que as ruas precisam de outros nomes, que os enterros não são iguais para todos. E sempre a dor igual, a carne a mesma, as inquietações repetidas, a angústia para todos, a morte sem diferença. E tudo à espera de uma convergência humana que some e não destrua. Que faça de cada esforço um patamar de todos.

~ LONGE

HAVERÁ SEMPRE uma liberdade a conquistar. E sempre também quem esteja pronto a escolher, sem outra alternativa, entre conquistá-la ou perecer. Mais os que decidem esperar. E os que desistem. E os que nem chegam a saber que pode haver outra maneira de passar neste mundo. Mas cada época vê nascer as suas lutas necessárias, pelas liberdades só então ambicionadas. Por isso a tarefa é interminável. De lance em lance, em frente e para cima. Em direcção ao alto. O sonho foi o de que todos os homens nascem livres e iguais. Levou séculos para ser dito. Morreu muito povo, ruíram instituições, para que a revolução proclamasse a regra. Escrita a sangue. E não obstante, com muitas excepções. Todos livres e iguais, mas as mulheres, não; mas os escravos, não; mas os menores, não. Um não que se multiplica à medida que se regionaliza: em certos lugares, todos livres e iguais, mas os judeus não; noutros, todos livres e iguais, mas os católicos não; além, os negros não; mais acolá, os irlandeses não. Há sempre um não a exceptuar uma parte das gentes. Não aos bárbaros, a quem não for grego, a quem amar a Deus de outra maneira. E uns batendo-se, outros esperando, outros desistindo, outros ignorando. Pode até reconhecer-se um irmão em cada homem, mas não necessariamente um igual. Nem com a mesma liberdade. Nem também livres e iguais, sem discriminação, as ideias e as instituições. A terra a mover-se, e sem liberdade de se dizer. O rei nu, obrigatório olhar e proibido ver. Obrigatória a fé calada, a paixão secreta. Igrejas silenciosas. Nações amarradas. Gerações de sacrifícios para obter a simples faculdade de olhar, reconhecer e exclamar. E entretanto, com a luta a correr, pagando cada passo com dor, cada aceitação com vida, o mundo a ficar sempre diferente e a desafiar de maneira nova. Marchando como se tivesse o desígnio de envelhecer todos os desígnios. Nunca acabado de fazer. Alterando permanentemente o projecto. Desactualizando as conquistas. Entregando frutos que apodrecem. Cada dia uma seara diferente. Uma luz nova. Mas sempre a mesma fome e o mesmo sol. O nosso entendimento mais lento que o desejo, e o desejo mais lento que a mudança. E sempre homens. Todos e cada um olhando mais além. Dando o passo que cabe em nossas forças. Contribuindo cada um com o seu projecto. E tentando executá-lo. Contra as resistências que os repudiam. Contra a negação que os exclui. Em cada época e em cada luar. Acrescentando a herança. Cada um à sua maneira. Até ao fim. Ou esperando. Até desistindo. Mesmo não sabendo. Procurando superar as circunstâncias que passam, a caminho dos valores que duram. Para que as exclusões sejam dispensáveis. Para que a realização do projecto de um homem não passe pela frustração de outro. Para que não haja nem senhor nem escravo, nem grego nem estrangeiro. Mais longe e mais alto. Para além do não.

~ A MIGALHA

A OBRA-PRIMA já não é facilmente a expressão do melhor trabalho de um homem. Fazer é cada vez mais e apenas contribuir. Para um resultado desconhecido. Ou imprevisível. Ou diferente do imaginado. Na cadeia dos gestos necessários, o que pertence ao homem comum é uma migalha. A soma de muitas é que faz a obra. Algumas vezes inesperada. Ou incompreensível. Ou indomável. Ver a totalidade é um privilégio. Fazer tudo é impossível. Também não está ao alcance de ninguém saber de todos os que deram a sua contribuição. Ganha-se o pão com o suor do rosto. Mas o pão que se leva à boca custou o suor de muitos rostos, que nunca se olharam, da sementeira à mesa. O homem que se afadiga no trabalho é para atender às urgências de outros que ignora. E que o ignoram. As mãos cuidadosas que abrem os caminhos para os passos de toda a gente. Desconhecidas. E as outras que semeiam o trigo de todos. As que escrevem as notícias. As que madrugam na fábrica. Até a criança que desenhou a flor no muro para consolo de muitos aflitos. Desconhecidos. Todos e cada um perdidos numa labuta sem dispensa. Obrigados pela exigência anónima. Vítimas de males que ninguém quis. Fazendo o bem por acidente. Pecando sem intenção. Morrendo por acaso. Sonhando certa vida e vivendo como calha. Cada vez mais gente, e sempre menos vizinhos. A migalha que pertence a cada um, faz as vezes de mundo. Em regra triste. Alguém cuida do que nos há-de afligir no momento que outros determinam. E nenhum sabe da aflição, e do tempo, e do lugar, e da ordem. Desconhecidos todos. Os que sofrem e os que fazem sofrer. Os que mandam e os que obedecem. Por bem e por mal. Tempos de anónimos e desconhecidos. Mas resistindo a tudo, e para cada um, a consciência de ser um homem. Com o seu projecto que não pode ser alienado. Para realizar sem interferências. Ou contra elas. Neste mundo. Fitando, em qualquer ponto, uma luz de esperança para onde todos possam olhar. E que não se apaga. Sabendo que para ela podem sempre estar voltados os olhos desconhecidos que nunca puderam encontrar-se. Convergindo os olhares. De pés na terra, mas olhando sempre. Os que lutam. Os que simplesmente passam. Os que obedecem. Os que mandam. Sobretudo os deserdados. Cada migalha reflectindo a luz. Neste mundo. Na terra.

~ AMARRAS

NÃO HÁ TESTAMENTO que possa fazer da vida um museu. Com tudo arrumado, previsto, bem acabado. Como se alguém tivesse sido um definitivo ponto de chegada. Um dono, e não, como todos, um ponto de passagem. As gerações obrigadas a conservar, mas sem mexer. Os lugares certos. O tempo também. De quando em vez, lembrar. E isto porque os homens morrem e nascem, e precisam de ser ensinados. Mas só isso. Participantes da vida, mas não da História. Aceitando que o mundo não se faz, acontece. Venerando tudo o que aconteceu no mundo. Procurando a feliz resignação de ser vítima, mas sem culpa. Hóspedes da terra, a girar sempre igual. E sempre na mesma trajectória. Partindo para voltar. E partir de novo. E voltar. A repetição.

O movimento sem mudança. O rio transformado em lago. As brisas paradas. Tudo é porém de outra maneira. Ninguém é um ponto de chegada. A herança tem de ser julgada. Cada homem aceita ou repudia. Acontece--lhe um povo, uma família. Mas pertence-lhe decidir continuar. E acrescentar mudando. Porque um só gesto altera todas as posições. O gesto de um só homem. Cada momento, um dia da criação. Não há estabi-lidade, permanência, teimosia, que impeça o reflexo do gesto. Nem de omissão. Todos comparticipam dos efeitos, sem remédio. A socialização da vida é crescente. A interdependência é progressiva. As estruturas envol-vidas são cada vez mais extensas. Por isso, as torres de marfim abrem brechas. Todos os lugares são uma praça pública. Os pensamentos mais íntimos arriscam-se a fazer de opinião. Os desabafos valem por compromis-sos. Os lagos abrem-se, as brisas sopram. E basta um gesto. O gesto de um só homem. A força que nenhum poder esmaga. Cada opção afecta todos. Sem proibi-ção que valha. Todos condenados ao movimento. A dar um passo. Pedindo que o passo seja em frente. Pelos valores eternos, mas escolhidos. Optados, não simplesmente acontecidos. Decididos a andar. Nem empurrados, nem pisados. Caminhando. Para dar uma face humana ao mundo que demasiadas vezes aconteceu sem querer. Prosseguindo, mas por decisão. Vendo mais e entendendo mais. Expulsando a tristeza. Discutindo as metas. Escolhendo os caminhos. Aceitando os riscos. Partilhando os resultados. Aderindo à herança. Acrescentando, mas escolhendo. Crescendo em responsabilidade. A tarefa sem fim da libertação do homem. Cortar as amarras das servidões. Acumulando as opções. Amando a herança para ir mais longe. Para que cresçam asas. De pés na terra, para depois voar.

~ AS MACIEIRAS

O ANO MIL CHEGOU depois de uma espera angustiada. Era o fim. Mais do que isso, era o julgamento. Um drama ocidental que os outros povos não viveram. A lei tinha sido proclamada, mas escarnecida. O testemunho divino, desacreditado. Tinha-se feito mais a vontade dos homens do que a vontade do Alto. Todavia, entre todos os que deviam enfrentar a data terrível, havia os cavaleiros da esperança. Aguardando, foram erguendo catedrais. Por esse tempo brancas. Embelezando o mundo para o dia. Com a urgência de quem tem data certa. Acreditando que valia a pena. O tempo a correr, o julgamento próximo, as culpas à vista, e eles tranquilos a afeiçoar as pedras, a moldar arcanjos, a levantar altares. Mãos à obra, fazendo o que estava ao seu alcance, descuidando só o que não podiam governar. Ocupados com os acabamentos da terra, porque essa era a sua tarefa possível. A data passou. As catedrais ficaram. A escurecer. A consumir-se. De tempos a tempos, nova ameaça de catástrofe. Diferente. E do julgamento adiado. Agora diferente. Adivinham-se datas, mostram-se sinais. O cálculo substitui a visão dos oráculos e a fé dos crentes. Vão crescer os homens, faltar as coisas. Sem ar para respirar. Nem água para beber. A natureza esmagada. A Terra um deserto. Tudo a convergir em dia certo. Os que serão homens vivos nesse dia final podem antever todos os detalhes dessa última agonia. Que será a sua. E do género humano. Um fim que poderá ser antecipado. Porque a guerra é uma saída possível. Acaba tudo. Em data mais incerta, mas antes. Sem o doloroso suplemento da espera. A geração ameaçada, provavelmente já anda sobre a Terra, sem idade para governar o mundo. Mas podendo interrogar. Com o direito de quem tem sempre idade para morrer. Porque é que a sua herança deve ser a da angústia? Qual a ameaça que ultrapassa o poder dos homens? Nenhum dos perigos vem do Alto. Tudo diz respeito aos acabamentos da Terra. Não se trata da vingança dos deuses. Apenas de saber viver em comum. De novo são urgentes os cavaleiros da esperança. De mãos tranquilas, dominando a obra. Fazendo sempre o que está ao seu alcance. Definindo os amanhãs. Impondo a alegria. Descuidando só o que não pode ser governado. O impossível, que é apenas o que está para além da mão do homem. Sem demissão. Caminhando sempre. Ainda sabendo que o mundo acaba amanhã. A espera do dia. Plantando macieiras mesmo nesse dia.

~ A OUTRA COISA

OS CRÍTICOS DAS COISAS FEITAS parecem ter muito mais trabalho do que quem as faz. E a legião que, depois das decisões e dos efeitos, sugere a outra coisa. Nunca antes. Depois. Analisam, discutem, acrescentam, tiram, lamentam, sorriem, evidenciam. Fica-lhes claríssimo que devia ser de outra maneira. O Sermão da Montanha é uma coisa de nada em comparação com a lista das reservas que lhe põem. Topam com meia dúzia de linhas de doutrina e logo escrevem bibliotecas, sem medida, de comentários. Desfavoráveis. Com sugestões imperativas para melhorar. Ou para riscar. Demonstrando que devia ter sido por outra via, ou noutra ocasião, ou com tom diferente. Ou simplesmente omitidas. Quaisquer mandamentos curtos causam gerações de sábios a espiolhar, a perguntar, a duvidar, a suscitar hipóteses, a imaginar excepções, a doutorar. Descobrem sempre que a outra coisa era a indicada. Para o passado. Para o futuro, esperam. De erro em erro, assim lhes parece o mundo depois de acontecido. A monarquia errada. A república errada. A ditadura errada. A democracia errada. A guerra errada. A paz errada. Sempre o mau caminho, a decisão pior, a palavra imprópria, a obra dispensável. O mundo certo imaginam-no nas crónicas e discursos de anos mais tarde. Mas nunca antes. Entendem o passado como uma longa preparação para o seu próprio advento. Finalmente ali estão para julgar. Sobretudo para dizer o que os outros deveriam ter feito. E todavia as angústias da vida é com diferentes respostas que se aquietam. Dadas por homens simples, mas na altura. Entendendo os mandamentos, percebendo a doutrina. Aceitando o sentido. Decidindo, entre mil caminhos, seguir por um. Naquele dia. No exacto instante. Fazendo do trabalho comentário, e da acção a prece. Sabendo dos riscos e a confiar em que os outros depois farão melhor. Tomando a responsabilidade do erro para não ter a da inacção. Reverenciando o pensamento, e por isso sem apreço pelas murmurações. Preferindo quem faz melhor a quem sabe mais. Porque a grandeza não está em demonstrar como deveriam ter sido ganhas as batalhas perdidas pelos outros. Está em não lhes fugir. Em participar. Está no soldado que decidiu intervir e perdeu. Tão grande, porém, como vencendo. Porque o momento da grandeza é o da decisão. No dia. No instante. Tranquilamente. Com piedade pela gente miúda que só terá o destino de comentar. De definir os mas e os ses. Respeitando o mistério que exige que o mundo também tenha isso. Que sobretudo tenha isso. Porque são mais. E sempre falando mais alto. Com ruído crescente. Imaginando com autoridade aquilo que deveria ter sido. Distribuindo juízos. Assumindo o monopólio do bom e do mau tempo. Acenando com gravidade e doutorando o óbvio. Ocupados. Entretanto, os pobres de espírito ocupam-se do mundo, pelos caminhos possíveis, com as opções do tempo, os erros da altura, as soluções da época. Sabendo que há sempre a outra coisa. Mas amando a que esteve ao seu alcance.

~ O MEDIANEIRO

As ameaças, os conflitos, as agressões, são a colheita do nosso desencontro. Uma sementeira condenada. Deitam-se promessas à terra e nascem fracassos. Os Invernos parecem as estações mais frequentes. E sempre a esperança de uma Primavera. A prece de estar presente nesse milagre. Com tempo para esperar. Com vida para assistir à morte dos antagonismos. Fora deles. Acima deles. Para além deles. Todos rezam. Mas os que podem dobrar o cabo dessa espera são os jovens. Sempre outros. Porque a juventude é um bem que se perde em cada dia. A fragilidade é o seu maior fascínio. A sua vulnerabilidade comove. Os que pensam na espera já não estarão presentes. Pereceram. Só podem estar presentes no mundo novo os que ainda são medianeiros. Sem amarras. Descomprometidos. Fora do passado. Acreditando na promessa do futuro. Jovens. Por um instante apenas. Sempre outros. Porque logo a seguir acontece-lhes o mundo. Diferente do prometido. A mudar mais rapidamente do que os nossos conhecimentos. Os projectos diferentes dos resultados, os meios incapazes para os projectos. Correndo aos combates, pagando o preço do sangue, a obedecer, a confiar, os medianeiros morrem. Quando chega o tempo de participar, na meditação, na previsão, no mando, já pertencem ao mundo velho. Envolvidos. Comprometidos. A vida deixou de ser uma promessa. Ameaça. Desdobra-se em caminhos que não foram vistos. Multiplica-se em desafios imprevistos. Anuncia amanhãs desconhecidos. Caminhos, desafios e amanhãs para outros medianeiros. De espírito livre. Fora de toda a amargura do passado. Um lampejo fugaz da própria esperança. Que vive num olhar, num sorriso, num gesto. No instante mesmo da compreensão total que é a plenitude do medianeiro. O instante em que possui completamente o futuro. Para logo a seguir lhe acontecer o mundo. O real. Feito por outras inocências perdidas, outras ilusões mortas, outras esperanças frustradas. Colhendo ameaças, conflitos, agressões. A Primavera transformada em desastre. E sempre a força de recolher os pedaços, juntar, compor. Para que seja possível recomeçar. Até que um dia os sonhos coincidam com o projecto. Isso pode ser no tempo do medianeiro que já vive ao nosso lado. O filho que protesta, que critica. Que julga. Que não tem piedade porque não tem experiência. Que tem pressa, porque o futuro morre em cada dia. E logo o medianeiro será outro. E o projecto diferente. E o futuro também. Mas sempre, em toda a parte, superando todos os desastres, o medianeiro. Jovem. Frágil. Comovedor. Marcando a presença do futuro. Vulneráveis, mas de uma raça que não morre. Que dura pouco, mas renasce. Que é inevitável amar para além de todos os protestos. Porque são os herdeiros de todos os desastres. E, todavia, a esperança de recomeçar sempre. Sem amarras. Descomprometidos. Inocentes. Mantendo a fé num futuro sem desencontros. Sem ameaças, conflitos, agressões. Com outra sementeira e uma diferente colheita. Onde os medianeiros não morrem.

~ A BUSCA

A MÃO DE QUEM PENSA tem de apertar a mão de quem faz, para que a corrente passe. E para que corra nos dois sentidos. É sempre da condição humana que se trata. A mesma sem prioridades. Mãos solidárias. O saber de experiências e a experiência do saber. Todos em face do mesmo desafio. Irremediavelmente iguais na fragilidade. Enfrentando as mesmas angústias e tendo um só mundo para trabalhar. As funções diferentes, a dignidade igual. E a punição também. A fome, a dor, o frio, a doença, a morte, não distinguem. Sem fuga nem renúncia que salve uns quantos. Há sempre um trecho de caminho onde o tributo que se paga é igual. Presos à mesma circunstância, todos são companheiros sem escolha. A pensar e a fazer. Para uma jornada que só tem um mundo. O mesmo para todos. É nele que o pensamento e a acção precisam de convergir. Numa tarefa comum. Não há uma terra para meditar e outra para agir. Nem dois planos separados para construir duas vidas. Uma só terra, uma só angústia, uma esperança para todos. Mãos dadas para que a corrente passe. A pensar e a fazer é que se descobre o caminho. Para além do erro. Tropeçando para ganhar impulso. Na busca interminável das alternativas. A busca do homem que atravessa o mato, navega ou voa, de coragem na cara, de surpresa em surpresa, a descobrir que pode haver outra vida. A busca do artista que corre a aventura das cores e das formas, a descobrir que podem acontecer outras belezas. A busca dos que meditam as dores de todos, a descobrir que pode implantar-se uma justiça diferente. A busca do que pressente e anuncia que há um fim a chamar pelos homens, pelos animais, pelas coisas. A busca do que indaga uma amorosidade diferente para unir as criaturas. A busca do que entende as leis das coisas. E outros, e todos. Sempre na busca de um caminho. Ou de um caminho melhor. Ou de um caminho simplesmente diferente. Com as raízes na mesma angústia, estendendo as mãos e os olhares. Cada homem escolhendo e experimentando. Mãos e olhares para todos os sentidos. A procura das alternativas fecundas. Que respondam melhor à nossa sede. Ou diferentes. Indagando sempre. A pensar ou a fazer. De resposta em resposta. Com o direito de errar para ir mais além. Companheiros de uma aventura não escolhida, que é viver. Num mundo que nos aconteceu. Mas que aconteceu a todos e não apenas a alguns. Todos chamados e nenhum escolhido para acertar. Todos em face do mesmo desafio. Um desafio para os que pensam, os que fazem, os que entendem, os que ensinam, os que lutam, os que sofrem. E outros, e todos. Cada um em face da interrogação. Com o direito de seleccionar respostas. De contribuir. Companheiros na tarefa de procurar alternativas. As alternativas fecundas.

~ A PARTILHA

Vê-se que é irresistível. Um ser humano senta-se ao nosso lado, sem outra credencial. Existe e está ali. Convictamente, faz um comentário. Sobre não importa o quê. Tudo ponderado, concluiu que as palavras tinham de ser proferidas. Para serem escutadas por quaisquer ouvidos. Os primeiros ao alcance da voz. Sem escolha, ou tendo desistido da escolha. Pensa ter surpreendido algum detalhe que não deve ser omitido. Foi testemunha e quer lavrar o seu depoimento. Por vezes passou anos de labuta sem história. Numa daquelas actividades essenciais em que, por isso mesmo, ninguém repara. Mas olhando para além da tarefa. Vendo o que se passa nela e ao lado. Com o vezo, o tempo e a oportunidade de comparar. De surpreender. Aprendendo. Descobrindo. Para si e para os demais. Em busca da alegria de compartilhar. E descobrindo também, nessa ânsia, como é difícil dar. Porque ninguém aceita facilmente a experiência dos outros. Sobretudo a experiência do pobre-diabo que é a maior parte da gente. Anos de obediência, a ver nascer e morrer animais, plantas e povo. O olhar atento, a surpreender os descuidos em que a natureza se descobre. Anos a ver os homens que chegam e partem, que crescem e morrem, que riem e choram, na fábrica, no escritório, no bairro, na rua, no beco. Vendo uma regra, um motivo constante, uma atitude comum, que outros não entenderam. Humildemente posto num canto da vida, viu acontecerem todas as coisas grandes que outros mandaram. Ninguém lhe perguntou nunca pela sua vontade, opinião ou gosto. Sofreu respeitosamente todas as dores justas e injustas que lhe distribuíram. Atento à tarefa humilde que lhe coube, mas olhando para além dela. Reparando nas coincidências, nas repetições, nos motivos. Sentado no banco do elevador, de pé à bancada da oficina, guardando a porta, levando os papéis de escritório em escritório, varrendo o chão, tirando o lixo, puxando a cera, espelhando os metais, vigiando a rua, distribuindo o correio – coube-lhe passar a vida calado e vendo. Foi testemunha, e pensa ter entendido alguma coisa que seria útil para todos. Precisa de lavrar o seu depoimento. Dizer. Deixar em alguma memória o legado da sua experiência. Fazer essa coisa difícil que é dar. E então, irresistivelmente, sem escolha, sentado ao lado de não sabe quem, faz o seu comentário. Transmite a sua descoberta. Partilha a experiência. Testemunha. E parece que isso lhe dá tranquilidade.

~ A REVOADA

As CIDADES ANTIGAS costumam ter uma feira de velharias. As coisas mais desencontradas estão para ali juntas à espera. Juntas por acaso. Peregrinas por necessidade. Foram, cada uma delas, parte disto e daquilo. Sempre, do sonho de alguém. Alguns olhos atentos guiaram dedos hábeis na sua execução. Acrescentando aqui, tirando acolá. Querendo mais um traço, uma cor, uma sombra. Para ligar com o resto, que foi casa, foi templo, foi oficina. Foi sobretudo mensagem de um homem ou de muitos. Que a escreveram numa obra destinada a ficar. Na intenção dos obreiros, para sempre. Todas e cada uma dessas coisas testemunham a intenção e o drama. À espera de quem entenda. Para que a mensagem não morra. Clamando para além da catástrofe. Sobrevivendo à derrocada da casa, do templo, da oficina. Quando a ira dos tempos se abateu sobre a obra, cada uma das coisas emigrou. Como quem tem de abandonar a terra invadida. Expulso pela opressão, mas salvando o espírito do seu povo. E levando-o consigo pelo mundo fora. Para dar testemunho. Para perpetuar. Para que não morra. O sonho também vai assim guardado em cada uma das coisas. A mensagem gravada. E todas e cada coisa partindo em revoada na esperança de que haverá olhos para ler. Que haverá mãos para entender ao afagar os traços. Como lutadores de uma resistência clandestina, os restos salvam sempre o espírito e o projecto. São pregadores. As fazendas abandonadas, as cidades esquecidas, os povos dispersados, têm os seus enviados, as suas testemunhas, os seus advogados. O que resta da máquina, o que sobra da casa, o que fica nas lendas, fazem o clamor. Ficam, através das idades, a proclamar. Desafiando a cólera e o descaso. Muitas vezes ocultas durante séculos, as coisas esperam. Caladas, ou apenas sussurrando. Mas prontas para a oportunidade. Cada uma com a lembrança do todo. Falando dele e na ressurreição. Assegurando a lembrança e conquistando adeptos. É como se as imagens dos santos, a cair dos altares, saíssem a pregar pelo mundo fora. E fazem-no. Anda o Santo António por todos os cantos, com o menino ao colo. A estar em toda a parte ao mesmo tempo, sem cansar do milagre. Não há feira, nem loja de coisas velhas, que não tenha aproveitado como refúgio. Lá está em qualquer canto. Prega, e também dá o exemplo. Não perde uma ocasião, porque a presença lembra. Como não a perdem os livros retalhados ou proibidos. Nem a moeda abandonada. Ou o prato rachado, o banco partido, a prata escurecida. Tudo falando ao mesmo tempo de todos os projectos. E insinuando outros mais. Em revoada pelo mundo, a incitar e a dar testemunho. Da grandeza e da debilidade. Do justo e

do injusto. Mas sempre de um gesto humano. Que,
depois de traçado, fica.

~ OS PRESENTES

ANDAM PELA VIDA A RECEBER sem dizer obrigado.
Queixam-se daquilo que não conseguem e acolhem
em silêncio os benefícios. A labuta esgota-os. Enquanto
pedem, suplicam e requerem, não há esforço que pou-
pem. Estão no lugar propício, escrevem à pessoa indicada, cruzam no caminho certo, pingam a palavra oportuna. Conhecem sempre alguém que pode intervir.
Possuem também a lista completa de quem é necessário
afastar. A humildade no rosto, a reverência no gesto.
Ignorando as recusas, voltam ao princípio. Exemplares
de pertinácia, em regra vencem. Depois, fazendo o
balanço, ficam tímidos. Não agradecem. Discretamente,
notam que receberam tarde, ou menos que outros, ou
não tanto como poderia ter sido. No silêncio preparam
nova campanha. Para eliminar essa injustiça do tarde, do
pouco, e do menos. Batendo a outra porta. De outra
casa. De pessoa diferente. Com a queixa nos olhos e a
crítica do passado nos lábios. Explicando. A cultivar a
esperança de novos benefícios. Muito independentes
de qualquer amarra. Sem prisões ou afectos. Aptos para
qualquer nova opção. Por isso, de novo encontram o
lugar propício, a pessoa indicada, o caminho certo, a
palavra oportuna. Sempre disponíveis, não há passado
que os obrigue nem futuro em que arrisquem. São os
adeptos sólidos do presente. Peritos de homenagens,

mensagens e telegramas. Independentemente do destinatário. A arte sem vinculação. E também um saber cómodo para os que chegam de novo com o gosto da corte. Alguém tem de ocupar-se dos primeiros gastos de sorrisos, das primeiras vénias, dos primeiros vivas oportunos. É então que intervém a coragem desses tímidos. Sempre decididos para a nova caminhada. Mostrando a prática. A lembrar tradições que lisonjeiam e gestos que resultam. E abrindo caminho para a consideração do seu tarde, do seu pouco e do seu menos. Desfiando gravemente todas as debilidades do passado. Críticos. Saudando os novos tempos com suspiros de alívio. Arautos. E tudo com a distinção da experiência. Prontos para qualquer novo balanço a qualquer hora. Úteis. Ao dispor. Credores natos, sem reciprocidade. Tímidos perante o passado e perante o futuro. Mas decididos para todos os presentes.

~ A REGRA

OS REGULAMENTOS SÃO UMA OBRA meritória. Sem regras não se vive e a minúcia no dispor pode ser inspirada em grande amor à vida. Mas é uma destas formas de carinho que facilmente asfixiam. Porque as regras são imagens antecipadas. Está ali o que a vida há-de ser. Os mortais não têm que inquietar-se na busca de soluções. Para cada problema, uma regra. Para cada dificuldade, uma ordem. Tudo previsto. Tudo disposto. Os inspirados pela ânsia do regulamento querem mais do que criar um mundo. Querem moldar os mundos que hão-de vir. Imaginam o pior, e determinam. Rebuscam o improvável, e mandam. Felicitam-se por cada omissão que adivinham. Deduzem o que deve ser, e impõem. Para agora e para sempre. Desdenham prever o futuro, decretam-no. Uma solução imprevista têm-na por um desarrumo. Um assomo de criação parece-lhes um pecado. Para eles, a vida não cria, está às ordens. Agora e sempre, como no princípio. E assim conseguem a paz dos cemitérios. Porque secam a fonte. O que enriquece o mundo é ser diferente. Conservar os legados, mas juntar alguma novidade. Contribuir. Por necessidade inseparável de estar vivo. Receber de todos, guardar a herança, e acrescentar. Não só para sentir que viver não foi inútil. Também para agradecer o que se recebe. Para colocar um marco na estrada. Para retribuir as dádivas com alegria. A liberdade de procurar é o caminho. Em busca de alguma coisa que possa compensar as duras penas. E reconciliar cada um com o seu tormento e inquietação. A busca que ninguém pode fazer em nome de outrem. Tudo previsto e determinado não é uma ajuda, é um tropeço. Não auxilia, esmaga. E corrompe. Porque a vertigem de tudo determinar, é o poder sem limites. Aquele que torna estéril a terra onde nasceriam os homens. E só quando os homens crescem, o seu povo avulta. Mas os homens não podem crescer como as trepadeiras. Encostados aos muros. Com grades a servir de guias. Estendendo braços tímidos à espera de apoio e de consentimento. Com trajectos previstos. Para dar fresco e sombra nos sítios estabelecidos. Sempre de acordo com os projectos de outros. Inspeccionados. Revistos. Medidos. Comparados. Corrigidos. Estimulados. Contidos.

Reprimidos. Cada passo de acordo com um artigo. Cada gesto medido para um parágrafo. Cada ideia crivada por uma alínea. É só pelas brechas dessa lástima que passa a esperança. Que a dignidade cresce. Que a liberdade respira. Que um homem pode encontrar o motivo para morrer sem pena de ter vivido.

~ A PRAGA

A PALAVRA FOI DADA AO HOMEM para comunicar. Todas parecem necessárias. Mas não há mundo onde a discriminação seja mais severa. Nem a hierarquia mais forte. Há homens a quem não se podem dirigir algumas delas. Vão mais longe, e conseguem palavras reservadas. Apoiam-se nas leis para adquirir essa propriedade. A eles, é daquela maneira que se fala. De outro modo, ou sem esse modo, as sansões intervêm. Guardam essas palavras como quem atesoura. Lutam por ter esse direito, metem empenhos. Tudo por uma palavrinha. A que poucos tenham direito. Que todos deverão dizer-lhe antes do nome próprio ou em vez dele. Nos casos mais sérios, é assim em todas as ocasiões. Não têm momentos de intervalo. Estão sempre na expectativa da palavra. São excelências em sessão permanente. Se puder ser por decreto, ficam mais tranquilos. É como quem levanta muros ao redor da quinta. Mas há outras palavras, malnascidas, que foram condenadas à perseguição. Não é lícito dirigi-las a ninguém. Sobrevivem na clandestinidade. Quando saem, é com muitos pedidos de desculpa. Com estatuto de minoria. A tolerância é pequena. São tesouros de outra gente e para ocasiões de aperto. Muitas vezes servem de rezas para dizer com mais pressa. Na urgência do trabalho, quando as energias cansam, e as forças começam a faltar, um homem lembra-se de dizer alguma dessas palavras. E ajudam. No ardor da luta, quando tudo parece em risco de perder-se, e a vida vale outras vidas, não se escutam apenas orações. A mistura parece reforçar a decisão de continuar. As palavras proibidas são como que uma infantaria secreta. Preenchem brechas, vão de boca em boca. Mobilizam. Quando a paciência de um pobre-diabo é levada ao limite, servem-lhe de algum alívio. Anda um homem às voltas com as coisas da vida, a tratar de minúcias, tudo a correr mal, e sempre alguém a comentar e a exigir. As ordens a chover, um homem só com duas mãos, e sempre uma crítica. A labutar de sol a sol, regando a terra com o suor, e o dinheiro pouco. Aparece uma emergência, faz o que pode, mas é sempre errado. Ajuda o próximo, e recebe desdéns. Trabalha uma vida inteira, e não tem nada de melhor a deixar aos filhos. Quis, e não o deixaram. Tentou, e impediram-no. Recomeçou, e não conseguiu. Viu que podia ser, e negaram-lhe. Chorou, ninguém se comoveu. Pediu, ninguém atendeu. Então, uma dessas palavras estoira como um tiro. E às vezes é o começo de grandes coisas.

~ AS VÉSPERAS

HÁ UM DERROTISMO que se alimenta das vésperas. De outros tempos. Aqueles que nenhum de nós viveu e de que não restam vestígios. Tudo foi, por então, cheio de justiça e de abundância. Homens diferentes. Têmperas de excepção. Mas tudo morto. Na véspera de chegarmos. Porque, nesse testemunho, é sempre na véspera que a vida acaba. A árvore fulminada na véspera de dar fruto. O barco naufragado na véspera de chegar. Um acaso das coisas, uma regra para os homens. Todos chegam depois e partem antes. O instante era outro. E sempre um sobrevivente que compara e lamenta. Desfiando a teoria do bom tempo passado. Esquecido do seu tempo verdadeiro. Perdida a lembrança dos fracassos. Depurando a experiência e narrando apenas o desejo. O que não viveu nem realizou. Recordando tudo o que em vão esperou. Mas esquecendo a espera. E a marca do que não teve. Coisas pequenas e coisas grandes. Do amor e do ódio. Esquecidas as noites de vigília e os dias vazios. A espera sem fim. A bênção do esquecimento a transformar tudo no bom tempo que findou na véspera. Que já não podemos partilhar. Nem conhecer. Nem herdar. Sumido na noite dos bons tempos. Tempos de véspera. Os que todos perderam. Porque a chegada é sempre depois do paraíso perdido. Com tudo para refazer. O mundo posto para ali. A exibir ruínas e abandonos. O mundo que calha a cada um. Mas sempre a desolação. Um mundo castigado. Que foi belo ainda nas vésperas. Mas onde a chegada é sempre tarde, salvo para herdar os restos. Para recomeçar. Para refazer. Lavando as mãos do desastre, esses sobreviventes demitem-se do futuro. Das grandes e verdadeiras vésperas. As do dia em que também nenhum de nós estará. Que fica para além do nosso caminho. Um passo mais em frente. Que já não será o nosso. Mas que é o penhor da nossa alegria. O dia da chegada. Onde estarão presentes todos os herdeiros. A quem ninguém falará dos bons tempos findos. Mas sabendo todos das nossas batalhas da esperança. Das longas esperas. Dos dias vazios. Do nosso tempo verdadeiro. Da marcha e do cansaço. Da subida e da queda. Dos anos perdidos. Da raiva e da pena. Das noites mais longas. Das madrugadas tardias. E também da coragem de andar mais além, de voltar a subir, de amar outra vez, de acender outras luzes. Olhos postos no que fica para além do nosso caminho. No passo em frente que não será o nosso. Nos cimos que nunca veremos. No mais além de nós todos. No dia da chegada que será dos herdeiros. Mergulhando as mãos no tempo verdadeiro que é o nosso. Cheio de promessas para o dia. Que será dos outros. Filhos das nossas esperas sem fim. Do nosso vazio. Da nossa angústia. Da nossa esperança. Do nosso tempo de vésperas.

~ A MENSAGEM

São poucos os chamados e menos ainda os escolhidos. Para os riscos os homens não são como as formigas. Os todos só aparecem depois. Antes, cada uma carrega o seu projecto e sofre a sua amargura. Dolorosa, mas sua. Incomunicável. A amargura dos outros só tarde é comum. Não apenas por egoísmo. Também por não entender. Falta sempre o cordeiro do sacrifício. Alguém disposto a ser o outro. O que vive diferente. O que responde de outro modo. Traçando um gesto, proferindo uma palavra, exclamando um silêncio. A mostrar e a morrer. A morrer para demonstrar. Espalhando as imagens, levando as notícias. Dizendo a cada um que há outro em qualquer parte. Porque não é só na alegria que há companheiros. Explicando que ninguém está só. Que todos estamos juntos. Que as perguntas das dores andam em mais bocas. Que as mãos de outras gentes podem rezar com as nossas. E que em qualquer lado, à espera, os companheiros existem. Mergulhados, cada um, nas suas dúvidas, como se fossem únicas. Também à procura, pelos caminhos do desencontro. Sem guia e sem irmãos. Sem companheiros para a marcha. Falta o cordeiro a servir de traço. Levando a alegria da notícia. Aos que estão para ali, sem vontade e coragem. Com a resignação no princípio de todos os desafios. Ilhados nos seus problemas. Não sabendo da alegria da comunhão. Do encontro, que exige a decisão de andar. Sair para além de cada um. De braços abertos e coração ao alto. Para intervir nas batalhas que são de todos. Com intervenção ou sem ela. Com as vitórias e as derrotas. São de todos, mesmo dos que não sabem. O mensageiro da esperança leva essa nova. Clama no deserto das indiferenças. Vai explicando e morrendo. Morrendo para demonstrar. Tecendo elos. Não muitos. Nunca tantos como os necessários. Sempre menos do que os projectados. Porque são poucos os chamados e menos os escolhidos. Tem de assumir o destino incompleto dos precursores. Os que entenderam antes. Viram diferente. Responderam de outro modo. Anteviram. E correram em busca dos outros. Para comungar. Mas encontrando-se mais sós do que os resignados. Indo por caminhos ainda vazios. Sem companheiros de jornada. Condenados a uma solidão diferente. A solidão das palavras que batem no silêncio. A solidão do gesto sem resposta. A solidão da mão sem esmola. A solidão do sorriso sem réplica. Mas repetindo a palavra, o gesto, a súplica, o sorriso. Porque a mensagem há-de chegar. À espera, em qualquer parte, em qualquer tempo, estão os companheiros de jornada.

~ OS CULPADOS

ANDAM OS CAMINHOS UM LAMAÇAL. Então, de Inverno, impossível passar. Nem homem nem bicho. Deixam de ser a porta para o mundo. São um limite. E cada ano pior. Mas eles não se importam. Os anos passam e tudo inútil. Pedir, lisonjear, nada dá resultado. Estão os caminhos como nunca. Por culpa deles. Sem falar nos pobres que existem no mundo. A mendigar pelas portas e pelas esquinas. A mão estendida pelos cantos. A perpetuar a necessidade da esmola. Um tema de préstimo para artistas. Mas a vergonha de todos. E ver a mancha das barracas. Um insulto. As cidades ofendidas. As gentes constrangidas. Mas eles não acodem. Deixam tudo na mesma. E tudo vai assim por culpa deles. Que também não cuidam de aumentar os empregos.

Os velhos ofícios não sustentam. A terra não rende. Não resta solução que não seja partir. Não importa para onde. Nem como. Nem os riscos. Ficar é que nunca. Porque não há futuro nas velhas aldeias. Por culpa deles, que não mudam as coisas. E então os filhos vão perdendo a humildade. Não se sujeitam. Tudo lhes parece a solução errada. Mudam as regras. Discutem os princípios. São bem diferentes dos moços antigos. Querem outras coisas. As tarefas de sempre parecem-lhes inúteis. Os respeitos de outrora, velharias. Acreditam mais nas cigarras do que nas formigas. E eles sem fazer nada. A família a perder-se. A terra vazia. A morte a crescer. E ninguém se importa. Tudo parece consentido. Anda o exemplo nos livros. E no cinema. E na televisão. E nas revistas. E nos jornais. Tudo contado sem poupar um detalhe. Tudo mostrado sem omitir um horror. E nada serve de freio. Antes serve de impulso. E produz impostos. Por toda a parte, as queixas. Que os filhos saem de casa meninos e voltam gastos. Sem interesse pelas velhas lutas. Pelos velhos temas. Mas eles a deixar correr. Sem fazer nada. Evidentemente culpados. Lembra aos aflitos rezar por socorro. Mas não há fé que chegue nem santo que acuda. Andam escassos pelos altares. E mais ainda pela terra. Não passam facilmente ao alcance dos precisados. Faltam os lugares de encontro. E os que sabem das palavras que ajudam. Dos gestos que tranquilizam. Das promessas que dão esperança. Fica-se apenas com o desamparo. Sem resposta. E tudo por culpa deles. Esses danados e condenados que são os outros. Que deveriam fazer. Ensinar. Impedir. Corrigir. Mudar. Mas sempre eles. Como se o mundo não fosse de cada um. E a culpa a envelhecer na busca. À procura dos outros. A definhar. E a morrer solteira.

~ OS ALIADOS

NÃO ENVELHECE QUEM ENVELHECE ao nosso lado. Passam os anos, marcando o rosto querido. Dos pais, dos amigos, da mulher diferente. Os aliados. Somam-se as rugas. Entristecem os olhos. As mãos torturadas por mil gestos inúteis. Mas, para quem ama, a essência não muda. Um sorriso de sempre. Um olhar secreto. Certo modo de estender os dedos expressivos. E os trabalhos comuns. Um saber aprendido nos mesmos desafios. O mundo que outros não viram. A tarefa onde estiveram sós. O detalhe que mais ninguém sabe. O bem e o pecado partilhados. E, no fundo invisível, aquela razão fundamental que tudo explica e só quem ama entende. Condenado por todos, há sempre alguém que lhe conhece a pureza. Feito o caminho de todas as faltas, há quem lhe descubra ainda o gesto de menino. Para cerrar os olhos onde brilharam todas as cóleras, há dedos que sabem da bondade oculta. Ninguém abandonado. Há sempre um amor em qualquer parte. Que nunca envelhece. Que vê. Que sabe. O pai, o amigo, a mulher diferente. Os aliados. Na solenidade dos julgamentos severos, alguém inabalável. Sem condições. A justiça dos homens a reprovar friamente. A lei violada a exigir castigo. A vítima acusando. Tudo evidente e sem escusa. Mas, para além da sentença, um ser que envelheceu ao lado. Que vê. Que sabe, sem demonstração. Conhece motivos. Avalia razões. Fica onde sempre esteve. Envelhece sem perder a frescura. Mantendo o sorriso dos tempos sem passado. Retendo o gesto. Olhando como dantes. E quantas vezes sem nunca ter falado. Encontro sem crónica. Mas o bastante para ficar a envelhecer ao lado. Sorriso acidental de um passado fugidio. Esboço de um aceno, sem mais história. Vistos por acidente. Mas ficando a lembrança, para as ocasiões. O laço do entendimento mudo. Foi um dia, em certo porto. Um dia, em certa estrada. Um dia, em certo país distante. Algures, enquanto se esperava. Gente a passar. De todas as proveniências. Ao encontro de mil encontros. Fugindo de si. Procurando ou esquecendo. Todos a ser ninguém para cada um. Os acasos sem história. Ali ou noutra parte. Tudo igual e sem data. E súbito, diferente, um certo rosto. Como que nascido de repente. Um cruzar que ilumina. O acaso parado. O igual dissolvido. Um marco na memória. Referência para todas as horas tristes e de revisão. Aliado. Esse rosto diferente, guardará o sorriso. Igual e sabendo. Estará em qualquer parte com a lembrança. Porque fica ao lado. Sem envelhecer. Como aquele outro ser que passou ignorado. Mas que olhou e reteve. E ficou aliado. Ou que nunca passou. Mas que teve notícia. Que leu o escrito e adoptou. Ficando para sempre a conviver. Sabendo dos motivos. Entendendo as razões. Dando sem receber. A lembrança viva, o interesse para sempre. A envelhecer ao lado, sem que se saiba. E sem envelhecer, por estar ao lado. Como flores que nascessem nas pegadas. Ficando no caminho sem perder a memória. Juntos. Aliados. A envelhecer juntos, os que um dia entenderam. Ficando sempre ao lado. Os anos a correr e a lembrança a ficar. O gesto, o sorriso, a maneira de olhar. As mãos deformadas, o rosto marcado, os olhos mortiços. Mas nada que atinja a beleza de sempre. Que está à vista de quem vive ao lado. Que de tempos a tempos lampeja de novo. Para além do bem, para além do pecado. Aliados.

~ A VIOLÊNCIA

A VIOLÊNCIA É A ANTECIPAÇÃO DO FIM. Uma vida para ainda durar. Cortada. Antes do tempo. A mão que se aperta e que arrefece. Morta sem ter gasto todo o seu calor. Os olhos que se fecham sem ter visto. O leite derramado. A semente que apodrece e não germina. A mulher que morre e, com ela, as mil gerações dos filhos que teria. O menino que não chegou a crescer. O rapaz que não pôde envelhecer. O velho que não viu o neto prometido. Tudo antes do tempo. Mas também é violência o tempo que nunca mais acaba. A obrigação de estar. A proibição de partir. A condenação de viver. Ou o viver condenado. O fim da liberdade antes do tempo. Violência branca. Sem porta de saída. Durar para além do querer. As dores como vírgulas no discurso. O ponto final sempre distante. Somando a violência da vida repetida. Pelos atalhos. Com faltas disto e daquilo. Sem estradas. Imagens repetidas de espelho em espelho. Cada desejo um fracasso. A mudança impossível. Tudo como sempre. No fim como no princípio. A violência cinzenta do igual. Ser diferente é doença. Ou ameaça. As malhas apertadas não consentem. Antecipam o fim da criação. Matam toda a esperança. Secam todos os destinos. Tudo visto e sabido. Os seres perdidos. Os vivos e os mortos com lugar marcado. Trocados sem dificuldade. O fim antecipado. Um sangue derramado antes de tempo. Porque há-de ser derramado. Mas depois de ter gasto todo o calor das mãos. Depois de ter olhado tudo o que pode ser visto. Nunca antes da semente germinar. Nem de a mulher ter os filhos. Nem de o rapaz ser homem. Nem de o velho ver os netos.

Dispondo da vida para novos projectos. Transformados em estradas os atalhos. Derramando a alegria. Vertendo o mesmo sangue, mas no tempo. E no lugar. Para servir de degrau na marcha para cima. Ao encontro. Em busca daquele ponto onde reside a esperança. Sofrendo exactamente as mesmas coisas. Mas aceitando. Por entrega voluntária. A perda consentida. Reconhecendo a fadiga. Ardendo por querer a luz. Os filhos nascidos. Os netos vistos. Nem condenado a ficar, nem compelido a partir. Apenas a consumação. Exactamente o mesmo sangue derramado. Mas nem antes nem depois. Sem pena e sem alegria. Tranquilamente. Em paz.

~ A DÚVIDA

HÁ UM LIMITE PARA A HESITAÇÃO. A dúvida não pode durar mais do que a urgência. Dissertar sobre navegação, enquanto o barco se afunda, não aproveita grande coisa. Antes morrer na luta do que na hesitação. Sobretudo na hesitação que deixa morrer sem luta. Para tranquilidade de quem medita. A pesar motivos. A explicar. A solicitar pareceres. A estudar outra vez. Pedindo outra análise. Voltando ao princípio. Adiando o segundo da responsabilidade. Entretanto, as carências não esperam. Porque as faltas não precisam de trabalhos preparatórios. A fome grita sem necessidade de grupos de trabalho. A seca e as más colheitas dispensam planos. A doença e a morte caem como raios. Tudo espontâneo como o choro das crianças. A contagem dos gritos, a média das mortes, só dão serenidade aos processos. Fica tudo alinhado nas informações. Sóbrio. Disciplinado. Regulamentar. Científico. A busca das causas parte de base séria. A sugestão dos remédios desdobra-se em alíneas. A meditação dos efeitos ganha perspectiva. Pode antever-se a rede de implicações. A argúcia do juízo tem campo de exercício. As sugestões desinteressadas multiplicam-se. O que parece a uns, o que parece a outros, fica escrito. Todas as mãos lavadas. A gravidade do problema está demonstrada. Como já estava no grito, na seca, na má colheita, no choro. Antes da contagem e das médias. Durante e depois. Tudo a clamar por uma decisão. A melhor. Ou a que estiver ao alcance. Ou qualquer, se não puder ser de outra maneira. Porque é na queixa e na decisão que se manifesta um homem. O que sofre e o que ajuda. A vida a extinguir-se não espera pela certeza. Nem os povos que sofrem. Há uma urgência inimiga das mãos lavadas. Que prefere as mãos limpas. A dúvida não é escusa. Ter visto é excelente, mas ter feito é melhor. Sabendo das dúvidas. Mas não temendo a acção. Dissolvendo as dúvidas no fazer. Agindo e rezando. Deixando aos fracos a vocação dos epitáfios. Os únicos textos que podem ser meditados sem limite. Com o diagnóstico seguro do passado. Certos. Exactos. E nunca tarde. Porque é sempre altura de lamentar. De reconhecer que havia outras maneiras. De ter o brilho dos oradores fúnebres. Explicando porque é que o grito se extinguiu, a terra morreu, a criança se calou. Mas é antes que a palavra é esperada. Durante o desafio. No tempo da luta. Quando ainda há seres que gritam. Sem hesitações sobre a própria dor. Procurando uma ajuda. Uma resposta. Ao menos uma tentativa. Um gesto. Uma lágrima.

~ A RESIGNAÇÃO

O PODER DIZ MUITAS VEZES QUE NÃO. E nunca estranha que lhe digam que sim. Gosta da reverência e conta com ela. O acatamento agrada-lhe. Tende para distribuir as palavras como dádivas. Espera por isso uma concordância agradecida. Um aplauso visível. Ao menos um respeitoso silêncio. O inventário das fórmulas está sempre disponível. Os processos consagratórios estão normalizados. A medalha comemorativa, a lápide, a colectânea de sentenças, a manifestação colectiva, estão catalogadas. Mas está menos previsto que alguém discorde. Todavia um homem deve ter o direito de dizer que não. E a coragem de o dizer a tempo. Lembrar que o erro não é privilégio do contribuinte. Saber que o silêncio anima o abuso. Porque o excesso de poder nunca é venial. Não se trata de falta para esquecer. É sempre apenas um primeiro passo. Que aceita a reverência com gosto. Como estímulo à repetição. Transforma-se assim em estilo. Não se adoça com o acatamento. Nem retorna ao bom caminho por remorso. A resignação das vítimas não comove o carrasco. Nem lhe muda o ofício. A cooperação não evita a dureza do golpe. É inútil caminhar para o lugar, cavar a vala, deitar-se na fossa e aguardar. Muitos o fizeram. Todos morreram. E não salvaram ninguém. Foi a morte do pai. A morte do filho. A morte do espírito. Depois, a urbanização dos locais. A estrada, o canal, a rua, o bloco, fazem de pedra sobre o caso. A medalha, a lápide, o livro, fixam a versão. O acatamento afunda-se no grande silêncio. Na contagem das vozes não há discordância. Só aplausos. Agradecimentos. Da resignação, nem vestígio. Não resta uma palavra, nem de piedade. Não sobeja um grito. Uma lembrança. Um exemplo. Foi simplesmente gratuita. Inútil. E cúmplice.

~ O DEDO

HOUVE SEMPRE UM CÓDIGO de maneiras, inspirado no respeito pelos outros. Coisas que se não fazem, outras que se não dizem. As circunstâncias, o lugar, a idade, aconselham diferenças de atitudes. O bem de todos não consente o arbítrio. A contestação do código é também a busca de novo código. Outras regras, outros critérios, outros tempos. Mas inevitavelmente, as maneiras. Que são de todos, ou de cada um. Aqueles por quem o escândalo vem ao mundo, são os dignos de pena. Mas que dizer daqueles por quem o silêncio vem ao mundo? Andam com o dedo sobre os lábios a mandar calar. Se alguém pede a palavra, recusam. Quando há insistência, fungam. Se desobedecem, punem. São mais benevolentes com o desejo de escutar. Desde que seja o que eles dizem. Gostam dos auditórios atentos. Apreciam um público doméstico. Os gestos de aprovação, as palmas de período, não lhes merecem objecções. Desde que acompanhem o ritmo. Mas para além desse ruído semeiam o silêncio. Não apenas o silêncio das ideias, dos comentários, das sugestões. Também o dos factos. Nem conclusões, nem depoimentos. Analisar ou testemunhar, é igual. Ter pensado ou ter visto, não se pode evitar. Mas dizer, é outra coisa. O dedo em riste é uma doutrina. Tropeça-se no vazio de um discurso, na banalidade de um diploma, na inutilidade de um congresso. Ocorre comparar com outras soluções e melhores perspectivas. O dedo lá está. Acenando. Quando é muito liberal, aponta para a orelha e deixa que lhe digam ao ouvido. O sussurro é uma condescendência. Porque o princípio é o do silêncio. Se as aldeias se despovoam, as terras vagas não se povoam, as estruturas são férreas, a esperança pouca, o desengano muito, tudo pode ser visto, mas tudo deve ser omitido. Os órgãos podem entreter-se com os problemas do seu foro. Que analisem, debatam, critiquem, concluam. Tomando nota, pedindo estudos. As actas em ordem, no livro apropriado, assinadas por quem deve. Mas confidenciais. Salvo algum elogio apropriado. Ser indiscreto, nesse domínio, tolera-se. No resto, o silêncio. Respeitoso, para obedecer às regras. Resignado, pelo menos. Para evitar a inquietação de quem não viu. Nem sabe. Assegurando a passividade dos outros. Interrompendo a corrente da fraternidade. Cegando os olhos que parecem abertos. Eliminando as imagens. Secando os motivos. Deixando a cada um saber do seu drama. Mas só. Isolado. Morrendo. No meio do silêncio. O silêncio que engendra as derrocadas. Que as antecede. Que as anuncia. O dedo em riste não proibe. Chama a atenção. Aponta.

~ O POSTIÇO

O RESTAURO NÃO SE CONFUNDE com o postiço. As coisas valem a pena e ainda servem. Consertam-se os estragos. Para cada ferida um remédio. Carinho para todas as cicatrizes. O velho banco, que amparou fadigas, volta à firmeza. Com renovada força. Nos fins de tarde, alguém poderá ainda sentar-se e meditar. Seguro. Como a imagem do santo de outros tempos. Gasta a fazer milagres. Marcada por muitas mãos. E lábios. E lágrimas. Fazendo ao menos o milagre de inspirar a esperança. As cores das vestes sumidinhas. Muita luz de muitos olhos a consumir-lhe o brilho. E chega a vez da gratidão de alguém. A compor-lhe as pregas. Restituindo as cores. Pincelando aqui e ali. Dando ânimo à velha relíquia. Recomposta, volta à luta. E serve de novo. Escuta outra vez. Viva. Sem disfarces. Dispensando os postiços. Os consertos da aparência. Que tapam os ocos. Encobrem buracos. E que por isso armam ciladas. Como o riso eleitoral que não tem programa. Mas vai usando os sinais das opções. Caminhando sem elas. Exibindo uma bússola. Mas sem agulha. Agitando bandeiras. Mas sem cor. Dispersando palavras sem conteúdo. Importando fórmulas. Sem marca de origem. Plantando galhos sem raízes. Espalhando sementes apodrecidas. Com um sol de arames. Lua de cartão. Um postiço para cada coisa. E todas as coisas postiças. A murcharem sem remédio. Aguentando o esforço de uma noite. Definhando depois do arraial. A desmaiar com a luz do dia. Coisa de nada para um raio de sol. Autêntico. Sem disfarces. Que aquece e ajuda as sementes verdadeiras. Não se engana. Sabe das estações e das árvores com vida. Conhece a fonte e o caminho da seiva. Faz germinar as sementes de sólidas espécies. Povoa de ramos e de novas folhas as árvores antigas. As que não morrem de pé. Continuam de pé, mas vivas.

~ O EQUÍVOCO

A TEORIA CORRENTE da ingratidão precisa de ser corrigida. Sobretudo a teoria da ingratidão dos povos. Lamentam-se as pessoas do que deram e foi esquecido. Recordam auxílios. Apontam atenções. Especialmente quando lhes pedem alguma coisa que gostariam mais de recusar. Julgam-se no direito de exigir a omissão. Se lhe exigem a dívida, lembram que também já emprestaram. Respondem a uma coisa com outra. Às petições novas opõem condescendências velhas. E tudo o que fizeram. Mais o que perdoaram. Ainda o que fingiram não saber. Sem pensar na diferença entre a dádiva e o desejado. Condescendências, perdões, ajudas, que ninguém precisava. Que ninguém solicitava. A fazer aos outros o que se pensou ser o útil. Mas sem lhes perguntar. Supondo que as opiniões coincidem. Que os pontos de vista são os mesmos. Que as necessidades são uniformes. Transformando cada acto numa surpresa. Transpondo para a vida os contos de lareira. Impondo aos outros os projectos que estes não fizeram. Decretando a felicidade. Privando cada um da oportunidade de escolher. De querer de outra maneira. De entender de outro modo. De exprimir outra esperança. Esmagado pelas dádivas que não quer. Calado por vozes que falam em seu nome. Fatigado de atenções esgotantes. A receber calor quando lhe apetece frio. Suportando o descanso quando ambiciona o trabalho. Ou ao contrário. Mas sempre a concepção do outro. Que é dadivoso mas insuportável. Transbordante de cuidados, mas asfixiante. A morrer devotado por esmolas que inventou. Satisfazendo interesses que ninguém apetecia. A inundar o próximo de benfeitorias supérfluas. Afogando as oportunidades. Levando ao desespero o assistido. Farto de atenções. E de cuidados. E de regras. E de admoestações. E de surpresas. E de presentes. E de ajudas. De tudo o que não pediu. Que verdadeiramente aborrece. Que finalmente detesta. Com raiva. Porque lhe seria preferível ser infeliz sem ajuda. Por não ter conseguido. Mas depois de optar. E de ter falhado. Mas tudo por sua conta e risco.

~ O DESERTO

NINGUÉM PODE BANHAR-SE duas vezes nas mesmas águas do rio. Fica todavia o leito. Por ele se sabe que é o mesmo rio. As margens são um limite para a mudança. As águas a correr. Pacíficas ou revoltas. Mas sempre o rio. Vindo de longe. A caminhar sem fadiga. O ritmo das colheitas depende dele. As coisas que nascem e morrem, e que renascem, bebem nessa corrente. Não sabem umas das outras, mas a corrente sabe de todas. Sempre diferente, mas igual. As lembranças que ficam são referidas ao rio. As memórias que restam, falam dele. Também é um caminho. Seguindo a corrente. Com tropeços. Rápidos e quedas. As margens, todavia, a garantir a rota. Rio da infância e da velhice. Reflectindo a Primavera e levando as folhas mortas. Sangue da terra. Como o sopro do espírito que corre entre as gerações. De século em século. Revolto ou pacífico. Com rápidos e quedas. Sem fadiga. Aureolando todos com o mesmo sopro. Os que nascem, os que morrem.

E os que renascem. Os que estiveram perdidos. Como se tivessem morrido. Por longe. Até um dia. Aquele dia em que o sopro do espírito é mais urgente. Bate a todas as portas. As portas do passado, do presente e do futuro. E a lembrar as margens. Os pontos de referência. O leito da corrente. Porque ninguém se banha duas vezes nas mesmas águas. Mas todos podem voltar ao rio. Saber que é aquele. O caminhar para longe é que perde. Traz a seca. A solidão de quem furta os ouvidos ao sopro do espírito. E se afasta da corrente. Da que não passa duas vezes, mas vem do começo da história. Fala a todos desde o princípio. É velha e nova. Renova-se. Mas entoa a mesma gesta. Na mesma língua. Repetindo o credo. Aquilo em que acredita um povo. De século em século. Definindo as margens. Fora delas o espírito não fala. As crenças são outras. E o povo também. Cada passo para longe é negação. O cisma. O abandono. Os símbolos vão morrendo. Desfeitos em tristeza. Tudo em pó. O amargor do inútil. Foi em vão desde o começo dos tempos. As lágrimas choradas. As vidas entregues. Os sonhos renunciados. Passos por um caminho sem destino. Como a estrada que fica a meio. E que não chega a lado algum. Ruínas de um projecto. Restos. Nada. E o espírito a soprar no deserto.

~ A ESCOLHA

A MARCHA DOS NEGÓCIOS anda a mudar de sentido pelo mundo. Os privados e os públicos. Mas é nestes que se nota mais. Os grandes desígnios não abundam.

Parecem esgotados velhos mitos. Sem provisões de reserva. Os fins desactualizam-se ou foram abandonados. A transcendência não está de moda. Coisas para já e palpáveis. Que possam medir-se. Consumíveis. Contas e previsões. Mas tudo em termos monetários. Susceptíveis de troca. E com pressa. Porque, segundo dizem, ninguém sabe o dia de amanhã. Basta uma noite, e tudo desaparece. Portanto, quem vier depois que enfrente os desafios. Resolva os problemas. Nada de pagar por conta das gerações passadas. Nada de sacrifícios por conta das futuras. Hoje é que é o dia. E nunca poderá ser mais sombrio ou modesto do que o dia do vizinho. Onde estiver o mais útil, está o melhor modelo. Onde a melhor paga, também o melhor serviço. As opções rejeitam mandamentos. Primeiro, os trinta di-nheiros. Em moeda de conta, para actualizar as técnicas. O êxito do bem-estar é o critério. Se resulta, estava certo. E entretanto, o futuro negado dá pelo nome de filhos. As gerações, quando vistas em casa, têm nome próprio. O repúdio abstracto dos modelos, chama-se dor quando atinge os que participam do sangue e da vida. Os valores esquecidos, vê-se que não podem ser comprados. A meditação chega tarde. Remédio não há. O arrependimento não tem recompensa. Lembra então a sábia filosofia de um velho camponês, mestre de gerações. Amigo velho. Um dos que falam com a terra e sabem da verdade das coisas. Nunca se despedia de ninguém sem lhe dizer: «Deus não pode dar tudo». E por ali ficava a continuar o seu diálogo permanente com o mundo.

~ O SEIXO

PELO ALTO DOS MONTES da minha serra, o que mais impressiona são as fragas. Enormes e cinzentas. Pesadas e solenes. Postas ali desde o começo dos tempos. Ao menos desde o tempo dos homens. Todos as viram e deixaram a lembrança. Não houve garoto na aldeia que não projectasse subir até às fragas. As fragas altas, como todos lhe chamam, para se perceber a grandeza. O dia da primeira visita era uma maioridade. Trepava-se lá acima. E via-se mais longe. Até às névoas. Para além disso, era um mundo que também merecia ser visitado. Chamava-se aventura, e havia de ser corrida. Um dia, a mais alta de todas, andou envolvida em mistérios. Por causa dos pastores, como era costume dos mistérios dessa época. Não podia haver mensagem que chegasse ao mundo senão pela boca desses inocentes. Inspirada pelas ovelhas. Tudo a respirar mansidão e acatamento. Por ali às voltas, ovelhas e garotos, aconteceu-lhes uma aparição. Linda, segundo contavam. Resplandecente, como não podia deixar de ser. Suave e sorridente, para obedecer às lendas. Prometendo benesses, para acudir às necessidades dos povos. E não pediu segredo. Nem explicou o privilégio de aparecer àqueles e não a outros. Mas bem escolhidos, os pequenitos, porque logo quiseram partilhar a notícia. Correram a dizer. Chamaram. Pregaram a boa-nova. Nunca se tinha visto tanto povo a correr pela serra. Os que eram de lá, e os que vinham de longe. Tudo a querer ver. Ao menos o lugar. Em busca de vestígios. Os meninos a explicarem. Insistindo, de cada vez, em pormenores novos. Todos reais, porque não sabiam o que era a invenção.

Repetiam as palavras escutadas. A mensagem. A promessa. E todos, convictos, a tocar na fraga. Gravando o nome. Arrancando um pedaço. Vieram os que mandam para ajeitar o local. A mexer aqui e ali. Até que um dia a fraga desabou. Ouviu-se o grito da queda em todo o vale. Veio por ali abaixo com um estrondo de fim do mundo. E pelo menos de fim da lenda que mal começara. E das promessas. E da mansidão anunciada. Toda a grandeza desabara porque lhe tinham retirado um suporte pequeno. Uma pequena pedra em que se apoiava. Uma coisa de nada. Um seixo.

~ O RISCO

O QUE SE HÁ-DE FAZER? Andam os ventos contra as convicções. Anos de luta. E tudo em vésperas de perder-se. Ou de não acontecer. Ou de ser de outro modo. As caras estão fechadas. Nem riso nem sorriso. As casas estão abertas. Mas só para o trivial. Da essência das coisas ninguém fala. Grandes inquietações, é o que dizem. O que será o dia de amanhã? A leitura da História é um consolo. Mas não é uma lição tirada. As circunstâncias de cada um pesam. Se não fosse isto ou aquilo, seria outra a resposta. Mas há que ponderar. A ver no que dão as coisas. Nunca se sabe. O pior já foi vaticinado várias vezes, e não aconteceu. A nossa porta, é claro. Na terra dos outros consta que sim. Houve coisas terríveis.

Invasões. Revoluções. Catástrofes. Mas isso foi longe. Com gente de menos sorte. E com menos audiência na corte celeste. Nunca acenderam uma vela. Nem recitaram uma reza. Esqueceram essas precauções elementares. Não é que estas evitem tudo. Mas dão certa esperança. E depois eles certamente farão alguma coisa. Os outros. Que têm menos limitações. Problemas menos sérios. Família menor. Rendimentos mais certos. E outra ambição. Porque esses é que devem tomar uma atitude. Sabem das circunstâncias. Gostam de se meter nas dificuldades. Apreciam ditar as soluções. Agora, cada interessado, o que poderia fazer? Onde estaria o peso da decisão? Ninguém se importa com a palavra que diria. E chamaria a atenção. Os interesses ficariam expostos. Em espírito, evidentemente, acompanham os outros. Não todos. Os que se batem pela boa causa. A causa dos interesses que consideram legítimos. Intocáveis. Os seus. Postos em juízo pelo desvario dos tempos. Por gente que ninguém entende. Que atacam tudo o que é venerável. Que se batem. Que se arriscam. Que morrem. Vão ao ponto de insultar desse modo a respeitabilidade. Batem-se e morrem. Por causas injustas. No caminho da perdição. A negar a santidade. Danados e condenados. É inadiável que alguém ponha cobro ao insulto. Há-de encontrar quem esteja disposto. Porque assim não pode continuar, dizem. Pagam se for preciso. Estão dispostos a correr esse risco.

~ O PREÇO

NÃO HÁ NADA QUE SEJA UM PRESENTE. Gratuito. Recebido por nada. Sem obrigações. Nem sequer a vida. Até os pássaros cantam. Fazem o seu ofício.

Contribuem. Participam na tarefa. A correr de um lado para o outro. Em busca do cibo. Cumprindo. Ninhos e ovos. Para que tudo recomece. Para que tudo continue. Uma fadiga que não foi escolhida. Um preço para a aceitação. Porque também é possível a recusa. Dizer que não. Adoptar a renúncia. Não querer a vida nem portanto o seu preço. Escolher o outro caminho. Não cantar. Não correr. Nem ovos, nem os ninhos. Nem a continuação. Arrostar com a negação. E pagar o preço. Porque a escolha também não é gratuita. Não há estradas sem portagens. Abertas pelos outros ou forçadas pelo próprio, é igual. O preço é diferente. Mas está lá. E para os povos também. As epopeias não são gratuitas. A grandeza não é um presente. A História não é romance. Não basta imaginar e compor. Tem de inscrever-se na terra. Com as mãos. Pagando o preço. Numa prestação interminável. A mudança de caminho também não é gratuita. Muda o risco. Muda o preço. E, antes de tudo, a necessidade de escolher. Que também já é o preço. Porque toda a escolha é dolorosa. Os modelos são muitos. As tentações são fortes. Mas toda a escolha é renúncia. E toda a mudança é abandono. Renúncia a outras escolhas. Abandono de renúncias. Andam as ruínas pelos caminhos do passado. Esquecidas por muitos lados. Restos de tentações sem recompensa. De impulsos sem medida. De cansaços. Abandonados para não pagar o preço. Para não pagar aquele preço. A marcha por outras veredas. Um breve lampejo de alívio. E logo a seguir novo preço. Igualmente pesado. Doloroso. Irresistível. Porque nada é gratuito. Não há futuros fáceis. Até os pássaros cantam. Contribuem. Pagam.

As longas horas. A espera sem sentido. O drama de esperar por nada.

De manhã para a ocupação, à espera que acabe. Que o tempo passe. Sem outra coisa que fazer depois. Mas sempre com aquela espera entre mãos. As longas bichas para o transporte demorado. Gente fatigada e com pressa. Para nada. Porque não há nada de importante no outro lado. Nada que não possa ser adiado. Ou prescindido. Gente que não seria necessário encontrar. Nem conhecer. Tarefas que podiam ser outras. Com a mesma falta de sentido. Programadas ninguém sabe por quem. Nem para quê. Mas repetidas sem dispensa. Nem desculpa. Como se a falta de um gesto comprometesse a obra. Tudo exigido como se fosse essencial. Escrever certo papel. Nem com mais nem com menos linhas. Pedir qualquer banalidade. Mas respeitosamente. E depois esperar. Esquecer, sem prejuízo, o requerimento. Fazer outra coisa. E tanto faz que a decisão venha como não. Há sempre outra inutilidade inadiável. Solenemente inscrita em qualquer regulamento. Que não fazia falta, mas que enche a espera. Ler e discutir. Dar-lhe sentido. Emprestar-lhe inteligência. Ver se por um lado isto, se por outro lado aquilo. Cumprir distraidamente. À espera. Porque talvez um dia aconteça. Uma coisa qualquer. Mas verdadeiramente importante. Aquela que justifica as horas longas. As ocupações que podiam ser diferentes. A marcha repetida. A bicha repetida. O gesto repetido. O enfado. Na certeza de que há certamente outro tempo. Que poderia arrastar cada um com alegria. Sabendo dos outros. Do bem comum. A participar na construção do mundo. Um mundo avaro das esperas. Porque as tarefas existem. Inadiáveis.

Urgentes. Fora das rotinas. E das palavras inúteis. Que não dizem. Que escondem. Que confundem. Sem dar sentido aos homens nem aos povos. E todos sedentos de projecto e de acção. Cansados dos equívocos. Dos véus sobre a essência das coisas. Que embaraçam. E acrescentam as esquinas da espera.

~ O DESÍGNIO

NEM HOMENS, NEM POVOS. Não se pode viver sem um desígnio. Aquela luz que brilha na distância. Necessariamente em frente. E lá em cima. Porque esse é o sentido da marcha. É o desígnio que dá sentido às gerações. Por isso nunca é a invenção de um homem. É um resultado colectivo. Do erro de muitos. Do acerto de todos. Contribuindo e experimentando. Aquele que se enganou mas ainda disse. Avisou, antes de acabar. Evitando o novo engano. Deixando essa ajuda. Ficando lembrado por isso. Pela sua parte. Pedra a somar na torre. Mostrou aquilo que se devia evitar. O próximo já não teve esse risco. Correu outros. Os ignorados. Os novos. Acertando ou falhando. Mas sempre em frente. E para cima.

A corrente vai crescendo. Todos e cada um. Solidários. O povo está ali. Sabe-se pelo desígnio. Que é de todos. Que não se pode afrontar. Porque traça o limite do desculpável. Para além começa a santidade do grupo. O eterno. O intocável. Que ninguém seja ousado bastante. Porque a maldição vem do tempo bíblico: o fogo queimará a mão sacrílega; ficarão cegos os olhos pecadores; morto o espírito que conceba o atentado; os que se atrevam, por pensamentos, palavras e obras, condenados; salgado o chão das suas moradas; que nada possa nascer nessa terra. Terra maldita a que abrigou falsos profetas. Os que chegam e dizem trazer outro desígnio. Acabado e perfeito. Obra sua. Glória de indivíduos. São negadores de povos. Falsificadores da História. Roubadores da sua gente. Enjeitando o saber comum. Maculando o sonho de todos pela fantasia de um só. Fazendo esse mal às gerações de sempre e para sempre. Matando de sede o desígnio. Cortando-lhe as raízes. E os braços que vão nascendo para a luz. Arrasando o passado. Falsificando um futuro. Passado e futuro que nunca são de um homem. São de todos. Obra colectiva. De cada um. Dos conhecidos e dos ignorados. Soldados desconhecidos, sem nome próprio. Mas todos com um só apelido. Todos chamados desígnio. Pelo qual se sabe que um povo está ali. E que é aquele povo.

~ O INSTANTE

BASTA UM INSTANTE. Foi uma vida inteira de vigília. A continuar a vigília de outras vidas. Passando o desígnio de mão em mão. Cuidados sem parança. Atenção aos mais pequenos pormenores. Uma palavra a tempo. Um olhar oportuno. E também a exigência. Quando é aconselhado pela paciência. Sem raiva. Apenas porque o plano o exige. E porque os objectivos são justos. Não pode prever-se tudo. Alguma coisa há-de chegar sem aviso. Há que estar sempre pronto para a resposta.

Com bom ou mau tempo. Boa ou má fortuna. Olhos no desígnio. Mãos prontas. Até ao fim do possível. Mas um dia a corda ameaça rebentar. Porque tudo tem um limite. Ao menos um instante de meditação. De nova escolha. Continuar e então recomeçar. A partir daquele segundo em que tudo foi de novo visto. Com vontade de abandonar. Ir por outro destino. Pensando como seria bom voltar atrás. A chamada daquilo que se não quis. De tudo quanto foi abandonado. Ou entrevisto e recusado. Com pena ou com orgulho. A pena de não ter sido também possível. O orgulho de ter resistido. Mas depois, o instante da dúvida. O limite da resistência. A ameaça da ruptura. O sobressalto do erro. Quem sabe? Talvez a outra coisa fosse a certa. Bem pode ser este o troço errado do caminho. E sempre é tempo. De recomeçar ou de abandonar. Ao menos a paz. A corda fica tensa. Queima as mãos. Parece ao ponto de ceder. Porque tudo tem um limite além do possível. O passo que um homem já não pode dar. A dor que não consegue ficar em silêncio. A dúvida que parece indomável. A oportunidade dramática da preguiça. Fechar os olhos e os ouvidos. Não ver nem escutar. Abrandar a tensão. Distender os músculos. Descansar os dedos. Não querer saber. Fugir por um instante. Exactamente aquele em que tudo se perde.

~ A CÓLERA

A PRIMEIRA PALAVRA é uma festa. São meses de luta. A criança já entende mas não diz. A experiência vai-

-se acumulando sem possibilidade de transmissão. E um dia acontece. A palavra ali está. Pode ser usada de muitas maneiras. Em tons diferentes. Anda com ela de um lado para o outro, a experimentar. Diz a este e àquele. Recita a sós. Examina por todos os lados possíveis. Um jogo sem fim, apaixonante. O difícil foi apoderar-se da palavra. Depois é uma companheira para sempre. Para as boas e más horas. Vai poder usar e abusar. Uma entrega sem juramentos recíprocos. Com um drama de fidelidade. Um estilo de ligação. Maturidade e respeito. Ou frivolidade incurável. As pobres das palavras a serem constantemente abusadas. Servindo fins levianos.

Obrigadas a condescender. Forçadas a estouvanar. Servindo hoje para isto e amanhã para aquilo. A cair de bocas velhas com a ligeireza das bocas dos meninos. Mas sem a pureza do encontro. Sem a alegria da descoberta desse tempo. Quando então o erro de sentido era uma busca. A procura do entendimento completo. E elas submissas. Como que à espera. Adaptando-se. Desfiguradas mas obedientes. Até à indignidade. Cúmplices resignadas. Dispostas como lhes é imposto. À esquerda ou à direita. Ou em todos os lados ao mesmo tempo. A dar esperanças ou pânico. Conforto ou vergonha. Saindo com licença prévia. Ataviadas por ordem superior. Na moda ou na reserva. Tudo conforme as conveniências. Até que um dia se revoltam. Perdem a resignação. E a paciência. Vão pelo mundo fora a clamar. À esquerda e à direita. Em todos os lados ao mesmo tempo. Cansadas dos abusos, empertigam-se. Tomam-se de cólera. E cobram o preço da vingança.

~ O BOCEJO

TODOS OS DIAS. Não se pode olhar para o lado. Nem escutar. A imagem e o som lá estão implacáveis. A repetir estafadamente as mesmas coisas. Recitando fórmulas que não variam. Aconselhando programas. Sempre os mesmos. Mostrando vedetas. Muito vistas. Tudo repetido. Mas com um tom de descoberta. Cada tom igual para cada espécie. Um tom para a notícia urgente. Outro para o elogio. Um terceiro para a catástrofe. Com um adjectivo pendurado. O mesmo, fabricado em quantidade. Porque se gasta muito. Está a ser preciso constantemente. Mas é uma grande comodidade. Pelo tom sabe-se de que se fala. Ou de quem se fala. Não é preciso ter ouvido a notícia. Nem ter visto a imagem. O tom e o adjectivo, são tudo. Apanhado um ou outro, fica-se ciente.

Mais eficaz do que uma apresentação. Mais certo do que o nome. Mais imperativo do que uma ordem. Como a marca de fogo para o rebanho. Mas feita em ritmo certo. Repetido. Com um sadismo premeditado. Avivando credos. Sem descanso. Voltando ao princípio com a rapidez possível. De novo. Outra vez. Sempre. A palavra e a imagem. Não há fuga para o olhar. Nem modo de tapar os ouvidos. Nas paredes. Nos transportes. Nos envelopes. Nos selos. Lá está. Inconfundível. A perseguir a atenção de cada um. Sem tréguas. Tem de ficar a saber-se. E aderir. Não há que aprovar nem reprovar. Aceitar. É tudo. Não fica o menor espaço livre. Uma só oportunidade. Ao menos para descansar. Toda a piedade está excluída. O tom e o adjectivo são como toques de sentido. Mais exigentes do que um hino. Obrigatórios para discursos, cumprimentos e agradecimentos. A usar na altura apropriada. Um no começo, outro no meio, outro no fim. Mas sem esquecer nenhum. De contrário as coisas correm mal. Fica perturbada a ordem. Maculado o civismo. O respeito em perigo. Resta em todo o caso um refúgio. Para espíritos mais livres. Menos conformistas. Mais cépticos. O bocejo.

~ A MONDA

O ESTILO NÃO MORREU. Provavelmente é da espécie das ervas daninhas. Por muito que se arranque fica sempre uma raiz. E volta a crescer. No meio das plantas úteis. Disfarçado. À espera para a invasão dos campos. Com a secura do recalcamento. A raiva das delongas. Tem o poder de decidir. Manda. As coisas fazem-se ou não se fazem, conforme lhe apraz. Consente. Nisso está a majestade que lhe assenta. O modelo que adopta. E, claro, a reverência. Ninguém o deve olhar nos olhos. São abismos secretos. Lá dentro não há coisa que convenha ser vista. Cabeça baixa é a posição ordenada. E também a prudente. Porque nunca se adivinha a explosão. Pode consentir numa coisa ou na contrária. Depende do capricho. Mas seja o que for, deve ser celebrado. Recebido como a suprema originalidade. Coisa sem antecedente. Demonstração do génio. Da criação contínua que brota dos seus lábios. E dos olhos. E do gesto. E do silêncio. Fonte permanente de soluções. Dadivosa. Espalhando orvalhos de talento.

A Porta. Estarrecendo os outros. Admirados. Na face de cada um deve estar a expressão do pasmo. Mas do agradecido. Do que não tem palavras. Com mais um pequeno esforço: o do pasmo feliz. Que transpareça a fadiga dos anos de espera. É preciso dar-lhe a segurança de ser o desejado. Por quem choraram as fontes e os ribeiros. E a terra cansada de secura. Porque finalmente a água corre. E tudo fica fértil. Começo de nova era. Há vantagem em comparar com o passado. Sempre com desvantagem para este. Antes não tinha ocorrido a ninguém. Ninguém se lembrou. Ninguém fora capaz. Agora sim. Tudo diferente. Novo. Pujante. Florescente. Prometedor. E tudo só agora. Porque o passado levou tempo a morrer. Sempre pela demora. E ali estava. À espera. Cheio de programas. De ideias. A azedar. A definir um estilo que não morre. Como as ervas daninhas. Fica sempre a raiz. E basta um descuido na monda. Volta a crescer.

~ A PERGUNTA

Tinha aprendido assim com a mãe. E ainda se lembra de ter visto a avó fazer o mesmo. Levantar antes do Sol. Atender aos homens de casa. Sem diferença de idade ou parentesco. As mulheres fazem uma coisa e eles outras. Cuidar dos animais domésticos. Vianda para o reco, milho para as galinhas. Lavar e esfregar. Apanhar a água para os gastos da casa. Cozinhar. Remendar. Vigiar a adversidade com várias rezas. Saber bem dos santos. O que se pede a um e o que se pede a outro.

Sem esquecer o destino das almas. As preces pelos que andam neste mundo. E os perigos do mar. Acudir ao templo, sem faltar uma vez. Dar uma ajuda na sementeira, na monda, na colheita. Tratar da desfolhada. E da matança. Fazer os enchidos. Guardar o unto. E o salpicão e o presunto, para uma ocasião. Casar no tempo devido. Ter o filho. E outro. E todos os que forem mandados. Com amor pela terra onde nasceu e padece. Ensinar esse amor. Mais todos os sacrifícios e saberes que são devidos. Às raparigas umas coisas. Aos rapazes outras. Ninguém pareceu interessar-se. Ou todos confiaram. Porque nunca teve que explicar. Também nunca lhe perguntaram se dava o filho para coisas que percebia mal. Mas era gente que sabia. Ou ela cuidava que sabia. Foi. Não voltou. Morreu. Aceitou com tranquilidade. Um dia se veriam. Mais tarde. Partiu apenas mais cedo e foi por bem. Não se pedem coisas dessas sem bom fundamento. Na altura própria, é como ter que levantar antes do Sol. Ou estar presente na cerimónia da adoração. Coisas de preceito. De cumprir. Sabia de muitas ocasiões em que tinha sido preciso. As mães não recusavam. Sofriam mas sem protesto. Todas cientes da importância das coisas. Mesmo das mal explicadas. E ninguém autorizado a violar o respeito pela dádiva suprema. Porque não pode acontecer por nada. É impossível que tudo tenha sido ordenado para a inutilidade. Levantar antes do Sol. Atender homens e bichos. Reverenciar a corte do céu. Fazer os filhos. Dá-los. E, depois, para nada. Não. Estas coisas não se pedem sem bom fundamento. A dor das dores não pode ser inútil. Ou então, então, para que é que se vem a este mundo?

~ A SEMENTEIRA

As ideias nunca morrem. Para bem ou para mal, é assim. Os homens passam. Frustrados ou contentes. Num caso e noutro, com razão ou sem ela. Mas as ideias duram. Independentes dos semeadores. Caminhando fortes a criar adeptos. Torturadas e presas, à espera de outro tempo. Mas vivas. Para sempre. Por vezes levam séculos de clandestinidade. Ou de silenciosa clausura. Pacientes na espera. Tenazes na busca. Firmes no propósito. A ver passar outras ideias. Com gente a morrer por elas. Ou por causa delas. Os homens transitórios. Vencidos pela sua natureza provisória. A fazer projectos sem medida. Mas com o tempo medido. Partindo sempre antes. A acção em meio. Ou mal começada. Ou simplesmente projectada. Ou mal sonhada ainda. Tudo um pouco além da mão estendida. Faltando um esforço. Pequeno embora. Um passo curto. O toque dos dedos. Mas impossível. Nem mais um passo, nem mais um esforço, nem mais um toque. Porque a vida falta. O provisório manda. E não faz inventários. Não concede prazos. Não dá adiamentos. Fica porém o projecto. A ideia. O espólio. A presença constante. Indestrutível. Desafiando. Indiferente à força. À espera e sem pressa. Porque toda a força cansa. Indiferente às censuras. Porque um dia virá. Nem cedo nem tarde. É sempre o momento. Para o bem ou para o mal. A ideia nascida já não morre. Haverá uma brecha. Larga bastante para que passe. Haverá um homem nascido para ela. Alargando assim o transitório. E outro, e mais outro. De alma em alma. Encontrando o companheiro de tempos a tempos. Vozes que sopram e alguém escutará. Falando aos simples. Escolhendo quem não espera. Prontas para o encontro. Para o novo achamento. Como as ilhas perdidas no mar e a espera. Os caminhos abertos para o veleiro de um dia. Faltando só que se dissipem as brumas. Que as madrugadas cheguem. A hora boa para encetar a caminhada. Um novo troço do caminho. Em força ou lentamente. Para de novo esperar, se necessário. Mas sempre o caminho. Depois das longas noites. Vivas e à espera. Indestrutíveis. Pacientes. Para além de todos os transitórios. Seguras. Prontas para a inevitável madrugada.

~ OS GATOS

ANDAM A MIAR PELOS TELHADOS. Sempre atentos. A olhar para a rua. Lá de cima. Onde ninguém lhes chega. Muito ágeis na esquiva. A saltar daqui para ali. Espreitando pelas mansardas. A entrar e a sair pelas janelas. Desdenhando as portas de toda a gente. A fugir da água fria. Quando chove, desaparecem. No mau tempo, ninguém sabe onde se esconde tanto gato. A lutar pela vida. Fazendo surtidas ocasionais para abastecimento. E conseguindo quase sempre. Uma espinha caridosa que alguém lhes deita. Ou coisa melhor que furtam. E esperam, a miar baixinho. Porque sabem que a chuva passa. O calor volta. Os telhados são de novo habitáveis. Bons para preguiçar. Excelentes para aquecer ao Sol nascente. Em colónia, se necessário. Dando sapatadas ocasionais uns nos outros. A rebolar. Miando mais alto. Cheios de arreganho porque o Sol os aquece. Lá de cima. O dorso arqueado. Cheirando os ventos. Correndo para onde há peixe. E a festejar o pescador. Esfregando o pêlo nos sapatos do mestre. Porque sabem de instinto quem manda na traineira. Não perdem tempo com mais ninguém. Lambem a mão que segura o leme. Para o lado, ameaçam. Saltam. Arranham. A defender o peixe. Dando sapatadas até nos companheiros. Miando nesse caso com meiguice. Envolvendo a insónia numa cabriola. Dormindo por metades. Um olho sempre aberto. As unhas escondidas, mas prontas. Rápidos na fuga. Dispostos a reconsiderar. Revisionistas natos. Sempre informados de novas pescas, novas traineiras, e novos mestres. E do peixe que há na rede. A mudar de gosto conforme os cardumes. Aceitando a sorte da faina. Estirados ao Sol nascente. Que aquece sempre. E gosta da reverência. Espera por ela. Lá estão a miar e a lamber a mão de quem segura o leme. Esfregando o lombo nos pés do patrão do barco. Oferecidos. Enquanto o peixe dura. E cheira a Sol. E não chove. Porque então desaparecem. E ninguém sabe onde se esconde tanto gato. Mas sabe-se que não faltam à chamada. Pode contar-se com eles. Desde que o Sol nasça. Que o calor volte. Que os telhados sejam outra vez hospitaleiros. Miam de novo com alegria. Correndo. A dar sapatadas uns nos outros, mas com meiguice. Para o lado, ameaçam. Com arreganho. Dentes prontos. Unhas rápidas. Reverenciando o dono. Dúplices. Inquietantes. Nervosos. Pouco certos. Mas com préstimo.

~ A ÁGUA

O LAVAR DAS MÃOS tem velha tradição. Fala-se sempre do mesmo exemplo. Mas as bacias de prata, as toalhas de linho, os jarros para a água, gastam-se muito. Dar água às mãos foi honra de cortesãos. E certamente não é uma vocação desaparecida. Enquanto houver mãos para lavar. E água. Porque esta pode ser que falte. A poluição é um fenómeno terrível. Vai alastrando insidiosa. E um dia há gestos seculares que já não podem fazer-se. Os ares não ajudam. Ficam irrespiráveis. E a água pior que tudo. Vão ser necessários outros modelos. Já não poderá seguir-se a forma bíblica. Esse gesto liberal que foi lavar as mãos. Deixar as coisas à decisão dos interessados. O inocente, com a sua nova. Os irados, com a sua fúria. E as mãos lavadas. Diante de todos.

Em bacia de prata. Limpas com toalha de linho. Da água que tudo lava. Mãos lavadas do passado. E do presente. E dos males do futuro. As memórias das gentes confundidas. Ninguém se lembra ao certo. Como foi. Quem foi. E para quê. Em que circunstâncias. Se há vivos desse tempo. Ou se todos mortos. O que disse este. O que fez aquele. Dúvidas sobre o dia. Sobre o lugar. As circunstâncias baralhadas. Mas o mal presente. A dor em cada um. Os olhos à procura. Sem reconhecer nem coisas, nem lugar, nem pessoas. Apenas a certeza da angústia. Do que foi pedido sem resposta. Da ocasião perdida. Do esforço inútil. Da agressão gratuita. Da teimosia. Da palavra dúplice. Do ódio. Da vingança. Do descaro. Da cupidez. E da cumplicidade. E da comparticipação. E da autoria. Tudo presente, sem um rosto. Porque as vítimas não são quem tem memória. Fica apenas a mágoa. É quem fere que não esquece. Luta para ser esquecido. Água às mãos. As toalhas de linho. As bacias de prata. Nada com o passado. Nada com o mal presente. Que todos vejam o gesto. O ritual de sempre. Enquanto houver homens. E mãos. E água. Para lavar as mãos do sangue dos inocentes.

~ A TENTATIVA

NÃO HÁ REMÉDIO. As coisas envelhecem. Com vida ou sem ela. Acontece-lhes esse mistério. Num fervilhar inútil. Nascem e morrem árvores. Nascem e morrem bichos. Nasce e morre gente. Parece tudo um descontentamento. Está acabada uma árvore. Levou anos. Cresceu perfeita. Mas não para ficar. Voltará à terra. Para nascer outra. E mais outra. Enquanto morre uma. E mais uma. Nasce um raio de alegria que se chama cão. Cresce e salta, a correr e a amar. E não fica. Envelhece e morre. Enquanto nasce outro. E mais outro. Para morrer um. E mais um. Nasce a esperança que é sempre um menino. Para morrer a decepção que é um homem. Enquanto nasce outro. Mais outro. Enquanto morre aquele. E outro. E todos. Como um descontentamento que se arrepende e repete. Que repete para se arrepender. Na esperança de que o próximo seja o esperado. Mas sem que o digno de ficar tenha aparecido. Nem árvore, nem bicho, nem menino. Nem sequer as coisas. Nada satisfatório. Tudo para ser substituído. Uma canseira. A fadiga que não atinge o limite. Porque a experiência continua. Chegam a este mundo as plantas, os bichos, os meninos, e não servem. São necessários outros. Que vão fazer coisas não muito diferentes. Mostrar a mesma boa vontade. Ou o mesmo enfado. Crescer e envelhecer. E finalmente despedidos. Contemporâneos por acaso. Sem poder escolher os vizinhos. Nem da vida nem da morte. Uma época qualquer. Uma hora de acaso. E ali está cada um. Aquela é a experiência. Ou sim ou não. Cada um é o único. Tem aquele encontro com o descontentamento que se arrepende e repete. Porque nada serve. Nem coisas, nem plantas, nem bichos, nem homens. E tudo para substituir. Fica o momento breve da tentativa. Uma só oportunidade. Que não se repete. Fugaz. Improvável. Mas sem renúncia.

~ A FLAUTA

NUMA CIDADE DE SEMPRE. Uma vez, há muito tempo. Hoje. Amanhã. Andavam os cidadãos inquietos sem remédio. Os ratos davam conta de tudo. Nem os gatos os perturbavam. Pareciam aliados. Andavam estes pelos telhados, com Sol e sem cuidados. Alegremente. E os ratos no seu ofício. Roendo sempre. A fazer contas. Eficazes. No silêncio discreto do proveito. Deixando tudo esburacado. Diz a lenda que foi há muito tempo. E hoje. E amanhã. Os cidadãos transidos. Notando as faltas. A devastação. As marcas dos dentes. O rasto da passagem. Tomados de estupor. E nem sequer um príncipe louco. Um hesitante príncipe da Dinamarca. De espada em riste e morte na alma. Mas gritando ao menos contra os ratos. Nada. A caminho do desastre. Sem esperança. Os factos a servir de árbitro. As mãos cruzadas. Porque, quem poderia evitar o dia de amanhã? Nada pode ter-se por seguro. Anda um homem na faina, e o barco afunda-se. Afadiga-se na terra, e a seca não perdoa. A paz incerta. A vida improvável. E ainda por cima, os ratos. Os homens sem meios. Sem forças. Sem projectos. Sem ao menos a loucura de um príncipe. Que grite contra os ratos. E saiba falar com fantasmas e caveiras. Diz a lenda que foi há muito tempo. E hoje. E amanhã. As vontades apodrecidas. Os sonhos gastos. Os projectos esgotados. A morte na alma. E as mãos vazias. Nem vontade. Nem esperança. Nem desejo. Até que, segundo a lenda, se ouviu uma flauta. Um jovem tocador que tudo sobressalta. Que purifica. Arrastando os ratos para longe. Levando a vida às almas. A força à cidade. A dignidade a todos. Foi uma vez, há muito tempo. E hoje. E sempre. Porque a salvação passa pelo berço de um menino. A purificação vem da juventude. Tocando uma nova melodia. Que a terra entende. Que os céus escutam. Foi assim, numa velha cidade. Há muito tempo. E hoje. E sempre.

~ ÍNDICE

7 PREFÁCIO
11 AUTENTICIDADE
12 O ESPELHISMO
13 O EIXO DA RODA
15 UMA GERAÇÃO
16 A UNDÉCIMA HORA
18 COMUNIDADE
19 A MURALHA
21 A CORDA
23 DOMINGO
24 OS POBRES
25 O VELHO
27 AMANHÃ
29 O DICIONÁRIO
30 A MILÍCIA
32 O TEMPO
33 O VERBO EU
35 O CHARCO
36 O LEGADO
38 A PANTOMINA
39 A VERTIGEM
40 ÂNCORA
42 ACASO
44 O SÍMBOLO
45 OS DEFINITIVOS
47 NINGUÉM
49 O PATAMAR
51 LONGE

53	A MIGALHA
54	AMARRAS
56	AS MACIEIRAS
58	A OUTRA COISA
60	O MEDIANEIRO
62	A BUSCA
63	A PARTILHA
65	A REVOADA
67	OS PRESENTES
68	A REGRA
70	A PRAGA
71	AS VÉSPERAS
73	A MENSAGEM
75	OS CULPADOS
76	OS ALIADOS
79	A VIOLÊNCIA
80	A DÚVIDA
82	A RESIGNAÇÃO
83	O DEDO
84	O POSTIÇO
86	O EQUÍVOCO
87	O DESERTO
88	A ESCOLHA
90	O SEIXO
91	O RISCO
92	O PREÇO
95	O DESÍGNIO
96	O INSTANTE
97	A CÓLERA
99	O BOCEJO
100	A MONDA
101	A PERGUNTA

103 A Sementeira

104 Os Gatos

106 A Água

107 A Tentativa

108 A Flauta

ESTE LIVRO FOI COMPOSTO EM CARACTERES BEMBO
E IMPRESSO EM PAPEL CORAL BOOK IVORY IOOGR.
NA GRÁFICA DE COIMBRA
EM NOVEMBRO
DE 2009
~